Daniel Krasa • Aldo Riboni

Facilissimo
corso rapido di lingua italiana

'ALMA.tv

la prima WEB TV dedicata alla lingua e alla cultura italiana

Per approfondire il percorso di apprendimento proposto in *Facilissimo* vai su ALMA.tv e guarda un video in italiano, partecipa ai concorsi, commenta e condividi con i tuoi amici le cose che ti piacciono di più.
Segui i suggerimenti indicati nel libro e scopri tanti video, film, esercizi, test, giochi per esercitarti
e scoprire la cultura italiana!

WWW.ALMA.tv

Facilissimo
corso rapido di lingua italiana - livello A1

Autori: Daniel Krasa, Aldo Riboni
Redazione e coordinamento: Euridice Orlandino
Redazione: Jürgen Frank, Giovanna Rizzo, Chiara Sandri
Copertina: Lucia Cesarone
Progetto grafico: Sieveking print & digital
Impaginazione: Andrea Caponecchia
Illustrazioni: Luisa Montalto

© 2014 ALMA Edizioni - Firenze
Tutti i diritti riservati

Printed in Italy
ISBN 978-88-6182-332-7

ALMA Edizioni
Viale dei Cadorna, 44
50129 Firenze
tel +39 055 476644
fax +39 055 473531
alma@almaedizioni.it
www.almaedizioni.it

Introduzione

Facilissimo: un nome, tutto un programma!

Questo corso si rivolge a chi desidera completare il **livello A1** del Quadro Comune Europeo **rapidamente e senza difficoltà** e sente l'esigenza di **comunicare in modo semplice ma efficace fin da subito**: studenti adulti che prevedono di passare un periodo in Italia per motivi di svago, interesse culturale o studio, migranti alla ricerca di un lavoro.

Il manuale consente allo studente di gestire in tempi rapidi situazioni comunicative tipiche della vita di tutti i giorni (fare la spesa, chiedere informazioni stradali, ecc.), o relative a contesti pratici più specifici ma altrettanto utili per chi desidera prolungare il proprio soggiorno nel nostro Paese (sostenere un colloquio di lavoro, per esempio).

Semplice e pratico da consultare, *Facilissimo* presenta una **struttura regolare:**

- ogni lezione si apre con un'agile attività che introduce il tema generale e mira a riattivare conoscenze pregresse;

- le lezioni si articolano in tre sezioni: le prime due sono strutturate intorno a semplici dialoghi* che vertono su situazioni comunicative ricorrenti; la terza propone brevi e accessibili testi scritti appartenenti a varie tipologie (annunci, cartelli, moduli, istruzioni, ecc.);

- la colonna gialla accanto a ciascun testo include un **ricco vocabolario illustrato** che facilita la comprensione del lessico proposto anche per quegli studenti la cui lingua materna è molto distante dall'italiano;

- subito dopo i dialoghi si trovano le sezioni *Comunicazione* e *Grammatica*, che vertono su diffuse formule di routine e presentano sotto forma di chiare e sintetiche tabelle gli elementi morfosintattici apparsi nelle conversazioni;

- tutti i testi proposti sono seguiti da una pagina di agili esercizi grammaticali o lessicali sugli elementi appena presentati; sono inoltre incluse attività di comprensione orale* e brevi produzioni scritte o orali;

- ogni lezione si chiude con la pagina *Cultura e civiltà*: vengono qui proposti materiali di vario tipo, dal breve testo descrittivo, alla lista di icone, ecc.; il tutto finalizzato ancora una volta alla scoperta e comprensione di regole di vita comune, convenzioni e abitudini tipiche dell'Italia di oggi e di come vi è organizzata la vita in società; questa pagina è completata da un'ulteriore estensione lessicale, anch'essa abbondantemente illustrata;

- lungo il percorso lo studente può inoltre mettere alla prova le proprie conoscenze grazie alle tre pagine di *Ripasso*, che oltre a proporre esercizi grammaticali e lessicali includono numerosi spunti per un'ulteriore pratica orale guidata;

- seguono infine il glossario italiano - inglese, da completare con la traduzione dei vocaboli nella propria lingua madre, le soluzioni di tutti gli esercizi e una sintesi grammaticale.

Con *Facilissimo* si impara a comunicare in italiano, si decifra l'Italia e si scoprono le sue tradizioni in men che non si dica!

*Tutti i brani audio sono contrassegnati dal simbolo (CD) 1 (in questo caso riferito alla traccia 1 nel CD audio allegato).

Indice

Scrivere

Scrivi.

Parlare

Parla.

Ascoltare

Ascolta.

Leggere

Leggi.

Guardare

Guarda.

Abbinare

Abbina.

To pair

Completare

Completa.

Ripetere

Ripeti.

Selezionare

Seleziona.

Primi contatti

First contact (handwritten)

Comunicazione:

◇ Grazie. — Thanks (handwritten)

☐ Prego. — Your welcome (handwritten)

Buon viaggio! — Good Travel (handwritten)

Buongiorno./Buonasera. — Good day/ (handwritten)

Ciao. Hello Good evening (handwritten)

Arrivederci. Goodbye (handwritten)

◇ *Come sta/stai?*

☐ *Sto bene/male.*

◇ *Le/Ti presento Paolo.*

☐ *Piacere.*

Mi dispiace.

Benvenuto a Roma!

Parli italiano?

Do you know (handwritten) already / any (handwritten) Surely! Certainly (handwritten)

Conosci già alcuni saluti italiani? Sicuramente!

Abbina le frasi come nell'esempio.

as (handwritten)

1. Buongiorno, dottore!
2. Arrivederci, signora Boni!
3. Ciao, Matteo!
4. Grazie.
5. Benvenuto a Roma!

a. Grazie mille!
b. Ciao, Valentina!
c. Buongiorno, signora Carli.
d. Prego.
e. Arrivederci, signor Cipriani.

Conosci altre espressioni?

Buonanotte, Buonasera, Piacere (handwritten)

Grammatica:

• nomi singolari: *treno, signora, signore, moglie*
• articoli: *il, la*
• aggettivi singolari: *stanco/stanca*
• pronomi: *io, tu, lei, lui*
• presente dei verbi: *sono, sto e presento*
• articoli: *un, una/un'*
• possessivi: *mio, tuo*

O a Buongiorno, come sta?

Vocabolario

signora

signore

Attenzione: Buongiorno, **signor** Corsetti!

treno

grazie

Grazie!

marito e moglie

Buon viaggio!

Fonetica

		a, o, u	= [k]	come, Di Marco, ecco
c	+	e, i	= [tʃ]	piacere, arrivederci
		h	= [k]	anch'io
gi	+	a, e, o, u	= [dʒ]	buongiorno, viaggio

Ascolta il dialogo.

- ● Buongiorno, signor Corsetti.
- ♦ Ah, buongiorno, signora Di Marco! Come sta?
- ● Molto bene, grazie. E Lei?
- ♦ Anch'io bene, grazie. Le presento mia moglie.
- ● Molto piacere.

Very happy

- ■ Molto lieta.
- ● E questo è mio marito.
- ▲ Piacere.
- ● Ma ecco il nostro treno. Allora arrivederci!
- ♦ Arrivederci e buon viaggio!

≫ Comunicazione

- **Salutare (formale)** *To greet.*

Quando arrivi	Quando vai via

di giorno: Buongiorno!   di sera: Buonasera!   Arrivederci!

- **Presentare e presentarsi (formale)**

Le presento la signora Marini. = Questa è la signora Marini.

Le presento il signor Bianchi. = Questo è il signor Bianchi.

(Molto) piacere! = (Molto) lieto! / Molto lieta!

- **Dire come stai (formale)**

■ Come sta?, Come va? ● (Molto) bene! 😄 ● (Molto) male! 😟

≫ Grammatica
Nomi singolari

maschile ♂	femminile ♀
tren**o**	signor**a**
signor**e**	mogli**e**

Articoli determinativi singolari

maschile ♂	femminile ♀
il marito	**la** signora

Aggettivi singolari

maschile ♂	femminile ♀
liet**o**	liet**a**

1. Comprensione e pronuncia

1. Buongiorno.
2. Come va?
3. Bene, grazie.
4. E Lei, come sta?
5. Molto piacere.
6. Arrivederci.

correct/just

2. La risposta giusta

1. Buonasera.
   a. Buonasera. *(circled)*
   b. Grazie, e Lei?

2. Come va?
   a. Molto piacere.
   b. Molto bene, grazie. *(circled)*

3. Questa è mia moglie.
   a. Arrivederci.
   b. Molto lieto. *(circled)*

4. Come sta?
   a. Bene, grazie. *(circled)*
   b. Anch'io.

3. Maschile o femminile?

1. amica M F
2. ragazzo M F
3. compagno M F
4. amico M F
5. ragazza M F
6. compagna M F

4. L'opzione corretta

1. Le presento **mio marito/mia moglie**, la signora Tailamoun.
2. **Questo/Questa** è mio marito.
3. Ecco **il/la** treno!
4.
■ Buonasera, signora Capotondi.
▲ **Buongiorno/Buonasera!**
5.
♦ Come sta?
● Molto bene, grazie. E Lei?
♦ Anch'io **male/bene**, grazie.

5. Parlare

| Signor Rossetti | Signora Capucci |

▲ Buongiorno, signor Rossetti, come sta?
♦ ...

CD 2 Ascolta le frasi e ripeti.

Seleziona l'opzione corretta. Poi ripeti i minidialoghi insieme a un compagno.

Leggi le parole e seleziona il genere corretto. *gender*

Leggi le frasi e seleziona l'opzione corretta.

Rileggi il dialogo a pagina 8. Poi usa il testo qui accanto e improvvisa un nuovo dialogo insieme a un compagno. *together*

O b   Ciao, come stai?

Vocabolario

stanco/a

un po' ↔ molto

un po' stanco

molto stanco

mi dispiace

amico   amica

benvenuto/a a...

Fonetica

ci	+	a, o, u	= [tʃ]	<u>ci</u>ao

(CD) 3 **Ascolta il dialogo.**

♦ Ciao, Francesca, come va?
● Ciao, Markus! Bene, grazie.
   E tu, come stai?
♦ Mah, non molto bene: sono un
   po' stanco...
● Ah, mi dispiace!...
   Ti presento Roberto, un amico.

■ Ciao.
♦ Ciao, Roberto.
● E chi è la tua amica?
♦ Lei è Susanne.
● Benvenuta a Roma,
   Susanne!
▲ Grazie.

≫ Comunicazione

• **Salutare**

Quando arrivi (informale)	Quando vai via
di giorno + di sera: Ciao!	Ciao!

• **Presentare e presentarsi (informale)**

Ti presento Paolo
= Lui è Paolo.

Ti presento Cristina
= Lei è Cristina.

Piacere!

• **Dire come stai (informale)**

■ Come stai?, Come va?   ● Non sto (molto) bene. = Sto male.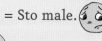

● Sto (molto) bene!

≫ Grammatica

**Pronomi e presente dei verbi
(forme singolari)**

	essere	stare	presentare
io	sono	sto	present**o**
tu	se**i**	sta**i**	present**i**
lui/lei	**è**	sta	present**a**

Articoli indeterminativi

maschile ♂	femminile ♀
un treno	**una** signora
un amico	**un'**amica

**Aggettivi possessivi
(forme singolari)**

maschile ♂	femminile ♀
il mio amico	**la mia** amica
il tuo amico	**la tua** amica

Attenzione! Con i sostantivi
singolari riferiti alla famiglia
<u>non</u> si usa l'articolo: **mia**
moglie, **tuo** marito, ecc.

1. Comprensione e pronuncia

1. Ciao, Valeria!
2. Come stai?
3. Non sto molto bene.
4. E tu, come stai?
5. Sono molto stanco.
6. Lei è la mia amica Sandra.

CD 4 Ascolta le frasi e ripeti.

2. Aggettivi possessivi

1. Questo è **mio/il mio** marito.
2. Chi è **la tua/tua** amica?
3. Ti presento **la mia/mia** moglie.
4. Lui è **mio/il mio** amico Federico.
5. Ecco **il tuo/tuo** treno!

Seleziona l'opzione corretta e ripeti le frasi.

3. Comprensione orale

1. Come sta Roberta?
   a. Sta bene.
   b. Sta molto bene.

2. Mario è stanco?
   a. No.
   b. Sì.

3. Chi presenta Roberta?
   a. Il fratello.
   b. La sorella.

4. Mario è un amico?
   a. Sì.
   b. No, un collega.

CD 5 Ascolta e seleziona l'opzione corretta. Poi leggi le frasi insieme a un compagno.

Organise from the

Ordina le espressioni dalla più positiva alla più negativa.

more   to the

4. Come stai?

male – molto bene – molto male – bene

1. 😄😄 Sto _molto bene_
2. 😄 Sto _bene_
3. 😟 Sto _male_
4. 😟😟 Sto _molto male_

5. Parlare

● Ciao, Tommaso, come stai?
◆ Bene, grazie, Valentina. E tu come stai?
● Non molto bene: sono un po' stanco.

...

Rileggi il dialogo a pagina 10. Poi usa il testo qui accanto e improvvisa un nuovo dialogo insieme a un compagno.

○ c Chattare al telefono

Vocabolario

Tutto bene? = Stai bene?

Tutto OK. = Sto bene.

Abbastanza bene. =

stanchissimo/a = molto stanco/a

lavorare

libero/a ↔ occupato/a
employed

stasera = oggi, di sera

Leggi la chat al telefono tra Cristiano e Marta e poi rispondi alle domande insieme a un compagno.

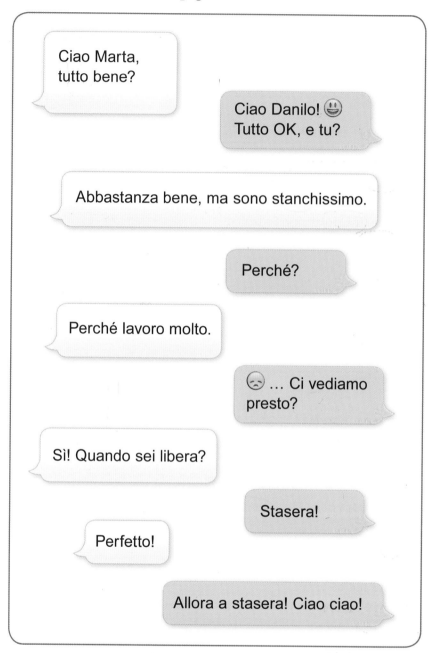

Ciao Marta, tutto bene?

Ciao Danilo! 😃 Tutto OK, e tu?

Abbastanza bene, ma sono stanchissimo.

Perché?

Perché lavoro molto.

☹ ... Ci vediamo presto?

Sì! Quando sei libera?

Stasera!

Perfetto!

Allora a stasera! Ciao ciao!

1. Come sta Marta?
   Tutto ok

2. Come sta Cristiano? Perché?
   Abbastanza bene, stanco

3. Stasera Marta è libera?
   Sì

4. Quando si vedono Marta e Cristiano?
   sta sera

'ALMA.tv ▶
Ti interessa la lingua e la cultura italiana? Su www.alma.tv trovi tanti video, film, esercizi, test e giochi!

Esercizi   **O** c

1. Parole in disordine

a.

▲ come | Franco, | va? | Ciao = *Ciao Franco, come va?*

♦ stanco. | ma | Bene, | sono = *Bene ma sono stanco*

b.

▲ libero? | sei | Stasera = *Stasera sei libero*

♦ mi | No, | dispiace. = *No mi dispiace*

....

Ordina le parole della chat
e forma delle frasi logiche.

Organise the words from the tale and form the logical phrase.

2. Dialogo via chat

Ciao Maria,   *Stai bene?*

Sto bene, grazie, e tu?

Tutto ok, ma sono molto stanco. A presto

Ciao A presto.

....

Lavora con un compagno.
Immaginate una chat tra
due amici, Maria e Marco.

Work with a friend. Imagine a discussion between 2 friends Maria and Marco.

3. Vero o falso?

1. Danilo sta molto bene.   V   **(F)**
2. Danilo non lavora.   V   **(F)**
3. Marta sta bene.   **(V)**   F
4. Stasera Marta è occupata.   V   **(F)**
5. Danilo è un amico di Marta.   **(V)**   F

....

Rileggi la chat a pagina 12
e indica con una "X" se le
informazioni sono vere o
false.

Reread the discussion on page 12 and indicate with an X if the informata is true or false

4. L'opzione corretta

▲ Ciao Patrizio, **come**/tutto stai? **Come**/**Tutto** ok?

♦ Ciao Stefano, **io**/tu sto benissimo, e **io**/**tu**?

▲ **Anch'io**/No, grazie. Sono a Roma!

♦ Davvero? Benvenuto!

Seleziona l'opzione
corretta e ripeti le
frasi.

Select the correct option and repeat the phrase.

O Cultura e civiltà

Dare del tu e dare del Lei

In italiano per parlare in modo formale si usa la terza persona singolare (*Lei*), anche con gli uomini. *Tu* si usa in contesti informali.

Si usa il *Lei*:
• con persone più grandi di età
• con estranei (non giovanissimi)
• con gli anziani *elderly*
• in contesti formali (negli uffici pubblici, in ospedale, ecc.)

Anche il verbo va alla terza persona singolare, per es.: *Signor Moretti, come* **sta**?

Si usa il *tu*:
• con gli amici
• con la famiglia
• in contesti informali (per es. a una festa)

Anche il verbo va alla seconda persona singolare, per es.: *Ciao Fabio, come* **stai**?

Salutarsi

Tra uomini è frequente salutarsi con una stretta di mano. *handshake*
Tra donne o tra uomini e donne (in contesti informali) ci si bacia sulle guance. Anche due uomini possono eventualmente baciarsi, ma solo se amici o parenti. *kiss*

Alla fine della lezione, saluta i tuoi compagni.

Ciao!

A domani!

Arrivederci!

Alla prossima!

Qualche parola in più

Saluti
Salve!
Buonanotte!
Alla prossima! *see you next time*
A domani!

Auguri *Wishes*
Buona giornata!
Buona serata!

Relazioni

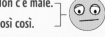

♂
fratello
il mio ragazzo
il mio compagno
il mio miglior amico
il mio collega

♀
sorella
la mia ragazza
la mia compagna
la mia migliore amica
la mia collega

Dire come si sta
Non c'è male. ⎤ 😐
Così così. ⎦

Rispondere a *grazie*
■ Grazie!
♦ Prego!

Comunicazione:

◇ *Di dov'è/dove sei?*
□ *Sono di Milano.* Sono di Saltash

◇ *Lei è/Tu sei italiano?*
□ *Sì, sono italiano. / No, sono tedesco.*

◇ *Che lavoro fa/fai?* No so inglese
□ *Sono architetto.*

◇ *Come si chiama?/Come ti chiami?*
□ *Mi chiamo Roberto.* Mi chiamo Sarah

◇ *Quanti anni hai?*
□ *Ho 24 anni.* Ho quaranta anni

Grammatica:

• preposizioni: *a, da, di*
• presente dei verbi: *vado, ho, faccio, vengo, studio, mi chiamo*
• aggettivi singolari: *francese*
• articoli determinativi: *l'*

Città del mondo

Abbina le città e i paesi, come nell'esempio.

1. Berlino
2. Parigi
3. Londra
4. Bucarest
5. Pechino
6. Mosca
7. New York
8. Rio de Janeiro
9. Rabat
10. Tunisi

a. Francia
b. Brasile
c. Marocco
d. Stati Uniti
e. Romania
f. Tunisia
g. Russia
h. Inghilterra
i. Cina
l. Germania

la tua città: _Saltash_   il tuo paese: _Inghliterra_

I a Lei di dov'è?

(CD) 6 **Ascolta il dialogo.**

♦ Mi scusi, è libero qui?

● Sì, sì, prego…

♦ Grazie.

● Mi scusi, ma… Lei non è italiana, vero?

♦ No, no, sono tedesca. Di Francoforte. E Lei, di dov'è?

● Io sono di Milano, ma abito a Roma.

♦ Che bella città! Va a Firenze anche Lei?

● Sì, per lavoro, sono architetto. E Lei, che lavoro fa?

♦ Io sono impiegata, lavoro in una banca. Adesso però sono in vacanza.

● E è qui in Italia da sola?

♦ No, sono con mio marito!

● Ah, allora Lei è sposata…?

♦ Sì, ho anche due figli. E Lei, anche Lei è sposato?

Vocabolario

Prego!

città

architetto

impiegato/a

banca

essere in vacanza

qui/qua ↔ lì/là

sposato/a ↔ divorziato/a

figlio/a

Fonetica

g	+	a, o, u	= [g]	prego, impiegata
gl	+	e, i	= [λ]	fi**gli**
qu	+	a, e, i, o	= [kw]	**qui**

>> Comunicazione

• **Scusarsi e attirare l'attenzione (formale)**

(Mi) scusi!

• **Chiedere e indicare la provenienza (formale)**

■ Lei è italiano/a? ● Sì, sono di Milano. / No, sono tedesco/a.

■ Lei di dov'è? ● Sono di Firenze. / Sono italiano/a.

• **Chiedere informazioni sul lavoro (formale)**

■ Lei che lavoro fa? ● Sono impiegato/a.
Lavoro in una banca.

>> Grammatica

Preposizioni

Sono **di** Francoforte.
Sono/abito **a** Roma.
Vado **a** Firenze.

Aggettivi singolari: nazionalità

maschile ♂	femminile ♀
italian**o**	italian**a**
ingles**e**	ingles**e**

Presente dei verbi irregolari (forme singolari)

	andare
io	vado
tu	vai
lui/lei	va

Esercizi I a

1. Comprensione e pronuncia

1. Mi scusi, è libero qui?
2. Mio marito è di Berlino, e Lei, di dov'è?
3. Sono avvocato, e Lei, che lavoro fa?
4. Lei adesso è in vacanza, vero?
5. Sono sposato e ho due figli.
6. Sono segretaria, lavoro in una banca.

(CD) 7 Ascolta le frasi e ripeti.

2. Dialogo disordinato

3 Che bella città! E perché va a Roma?

2 No no, sono tedesco. Ma abito a Venezia.

6 Allora buon viaggio.

4 Per lavoro. E Lei è in vacanza, vero?

1 Buonasera. Mi scusi, ma Lei non è italiano, vero?

5 Sì, adesso non lavoro, sono in vacanza.

(CD) 8 Ordina le frasi e forma un dialogo logico. Poi ascolta e verifica. Infine ripeti il dialogo insieme a un compagno.

Pair

Abbina le domande alle risposte appropriate.

3. Domande e risposte

1. Lei di dov'è?
2. Abito a Napoli, e Lei?
3. Va a Torino?
4. Lei è sposato?
5. Mi scusi, è libero qui?
6. Lei che lavoro fa?

a. Sì, prego.
b. Sono di Palermo.
b. Io abito a Genova.
c. Sono impiegato.
d. No, vado a Roma.
e. Sì, e ho un figlio.

Abbina le personalità alle nazionalità.

4. Nazionalità

1. Cristiano Ronaldo
2. Vladimir Putin
3. Shakira
4. Roberto Benigni
5. Recep Tayyip Erdoğan
6. Hillary Clinton

a. È turco.
b. È colombiana.
c. È italiano.
d. È portoghese.
e. È americana.
f. È russo.

Adesso hai una nuova identità! Immagina: come ti chiami, di dove sei, che lavoro fai, ecc. Il tuo compagno fa delle domande per avere informazioni su di te. Poi scambiate i ruoli. Seguite il modello qui accanto.

5. Parlare

◆ Buongiorno, Lei è Stefania?
● No, sono Roberta.
◆ Lei è inglese? Di Londra?
● No, sono italiana, di Torino.
◆ Abita a Torino?

● No, abito a Roma, ma adesso vado a Milano.
◆ Lavora in una banca?
● No, lavoro in un ufficio.

I b Come ti chiami?

Vocabolario

sorella e fratello

fratelli

figlio unico ♂ (figlia unica) ♀

studentessa ♀   studente ♂

negozio

Fonetica

sc	+	a, o, u	= [sk]	<u>sc</u>usa, tede<u>sc</u>a
sc	a inizio parola		= Ø	<u>h</u>ai (= ai)

CD 9 **Ascolta il dialogo.**

♦ Ciao, tu sei Stéphanie, vero?
● Sì, e tu come ti chiami, scusa?
♦ Mi chiamo Roberto, sono l'amico di Francesca.
● Ah, sì.
♦ Stéphanie… Sei francese, vero?
● Sì, vengo da Marsiglia.
♦ E sei qui da sola?
● No, con mio fratello.
♦ Ah, hai un fratello?
● Sì, e anche una sorella. E tu?
♦ No, non ho fratelli. Sono figlio unico. Ehm… Perché sei in Italia? Sei studentessa?
● Sì, studio italiano. E tu che cosa fai?
♦ Io lavoro in un negozio di computer.
● Ah, interessante! Be', allora a presto…
♦ Ciao, a presto!

» Comunicazione

- **Scusarsi e attirare l'attenzione (informale)**
  Scusa!

- **Chiedere e indicare la provenienza (informale)**
  - ■ Tu sei francese?
  - ■ Tu di dove sei?
  - ● Sì, vengo da Marsiglia. / Sì, sono di Marsiglia. / No, sono tedesco/a.
  - ● Sono di Firenze. / Sono italiano/a.

- **Chiedere e dare informazioni sul lavoro (informale)**
  - ■ Tu che lavoro fai?
  - ■ Che cosa fai?
  - ● Lavoro in un negozio di computer.
  - ● Studio. / Sono studente/studentessa.

- **Chiedere e indicare il nome**
  - formale: ■ Lei come si chiama?
  - informale: ■ Tu come ti chiami? ─┐
  - ● Mi chiamo Roberto.

» Grammatica

Preposizioni
<u>Vengo</u> **da** Marsiglia.

Presente dei verbi riflessivi (forme singolari)

	chiamarsi
io	**mi** chiamo
tu	**ti** chiami
lui/lei	**si** chiama

Presente dei verbi regolari e irregolari (forme singolari)

	avere	fare	studiare	venire
io	ho	faccio	studi**o**	vengo
tu	hai	fai	stud**i**	vieni
lui/lei	ha	fa	studi**a**	viene

Articoli determinativi singolari

maschile ♂	femminile ♀
l'<u>a</u>mico	l'<u>a</u>mica

Esercizi I b

1. Comprensione e pronuncia

1. Tu sei Alessandro, vero?
2. Come ti chiami?
3. Mi chiamo Francesca, e tu?
4. Sono cinese e vengo da Pechino.
5. Ma scusi, Lei ha fratelli?
6. Sono studente, studio tedesco.

CD 10 Ascolta le frasi e ripeti.

2. Verbi

è – chiamo – lavoro – chiama – vieni – sei

1. Lei, come si _chiama_?
2. Tu _vieni_ da Tirana, vero?
3. Mia sorella _è_ architetto.
4. Mi _chiamo_ Giovanni.
5. Io _lavoro_ in un negozio.
6. Perché _sei_ in Italia?

Completa le frasi con i verbi della lista.

3. Comprensione orale

1. Da dove viene Roberto?
   a. Viene da Palermo.
   b. Viene da Parma.
2. Stéphanie è inglese?
   a. No, è francese.
   b. Sì, è inglese.
3. Stéphanie è sposata?
   a. Sì, è sposata.
   b. No, è single.

CD 11 Ascolta il dialogo e seleziona l'opzione corretta.

4. L'opzione giusta

1. Hai fratelli?
   a. Sì, sono sposata.
   b. No, sono figlia unica.
2. A presto!
   a. Sì, ciao!
   b. Anch'io!
3. Che cosa fai?
   a. Sono di Pisa.
   b. Sono studente.
4. Sei ucraina?
   a. No, non lavoro.
   b. No, sono russa.
5. Come si chiama tua sorella?
   a. Si chiama Marianna.
   b. Ha due figli.

Seleziona la risposta logica.

5. Parlare

♦ Ciao Gabriel, tu sei ingegnere, vero?
● No, non sono ingegnere.
♦ Sei giornalista?
● No, sono informatico. E tu sei..., vero?

Scegli un mestiere a pagina 22. Poi lavora con un compagno: fatevi domande e scoprite il vostro mestiere! Seguite il modello qui accanto.

I c   Uno scambio di lingua

Vocabolario

♦ Quanti anni <u>hai</u>?

● <u>Ho</u> 24 anni. / 24.

ristorante ♂

mare ♂

libro

Il post sotto viene da un sito per <u>scambi</u> linguistici.
L'autrice cerca persone per chattare in italiano.
Leggi il post e rispondi alle domande insieme a un compagno.

Parla italiano!

Ciao a tutti, mi chiamo Rosa, sono spagnola, di Madrid. Ho 24 anni.
La sera lavoro in un ristorante messicano, ma di giorno studio inglese e italiano.
Abito con un'amica brasiliana, così parlo anche portoghese.
Nel weekend vado al mare, leggo libri o vedo mia sorella, Pilar.
Cerco persone per chattare in italiano.

1. Quanti anni ha Rosa? *24*

2. Dove lavora Rosa? *in un ristorante messicano*

3. Che cosa fa Rosa di giorno? *Studia inglese e italiano*

4. Rosa parla solo italiano? *No spagnola, inglese, italiano e portoghese*

5. Che cosa fa Rosa quando non lavora? *Va al mare legge libri vede la sorella sua.*

'ALMA.tv ▶

Ti interessa la grammatica? Vai su www.alma.tv ed entra nella sezione *Grammatica caffè!*

Esercizi I c

1. Vero o falso?

Rosa…
1. lavora di sera. Ⓥ F
2. è messicana. V Ⓕ
3. abita da sola. V Ⓕ
4. studia portoghese. V Ⓕ
5. ha un fratello. V Ⓕ

Rileggi il post a pagina 20 e indica con una "X" se le informazioni sono vere o false.

2. Scrivere

Ciao Rosa!

Mi chiamo Sarah, sono inglese.
Abito in Plymouth
Ho 40 anni.
Ho due figli e uno cane
Nel weekend vado cammino con mia cane

Vuoi praticare il tuo italiano con Rosa. Rispondi al suo post!

3. Parole in disordine

1. e | Mi | spagnola. | chiamo | sono | Rosa   *Mi chiamo Rosa e sono spagnola*
2. un | in | ristorante. | Lavoro   *Lavoro in un ristorante*
3. un' | con | Abito | brasiliana. | amica   *Abito con un amica brasiliana*
4. vado | al | Nel | weekend | mare.   *Nel weekend vado al mare.*

Ordina le parole e forma delle frasi logiche.

4. L'opzione corretta

1. Rosa studia inglese e **italiana/italiano**.
2. Pilar lavora in **un/una** ospedale.
3. Rosa lavora in un ristorante **messicano/messicane**.
4. Nel weekend Rosa **vai/va** al mare.
5. Rosa è **da/di** Madrid.
6. Rosa **è/ha** 24 anni.

Leggi le frasi e seleziona l'opzione corretta.

5. Frasi incomplete

leggo – cerco – ho – abito – studio

1. Ciao a tutti, mi chiamo Rosa, ___ho___ 24 anni.
2. Di giorno ___studio___ inglese e italiano.
3. ___Abito___ con un'amica brasiliana, così parlo anche portoghese.
4. Nel weekend ___leggo___ libri.
5. ___Cerco___ persone per chattare in italiano.

Completa le frasi con i verbi della lista. Poi rileggi il testo a pagina 20 e controlla le tue risposte.

La famiglia

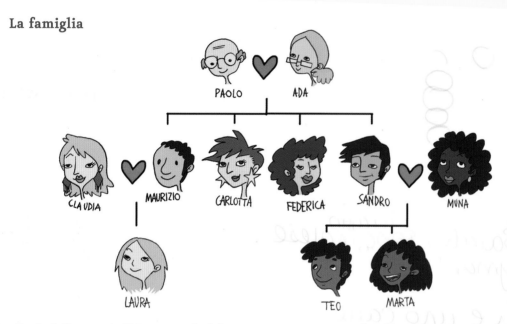

Paolo è il **nonno** di Laura. Ada è la **nonna**.
Laura è la **nipote** di Paolo e Ada.
Muna è la **zia** di Laura. Sandro è lo **zio**.
Laura non ha **fratelli** o **sorelle**: è **figlia unica**.
Laura è la **nipote** di Sandro e Muna.
Claudia è la **madre** di Laura. Maurizio è il **padre**.

Claudia e Maurizio sono i **genitori** di Laura.
Teo è il **cugino** di Laura. Marta è la **cugina**.
Teo e Marta sono **fratelli**.
Ada è la **suocera** di Muna. Paolo è il **suocero**.
Sandro è il **cognato** di Claudia.
Claudia è la **cognata** di Sandro.

Disegna l'albero della tua famiglia e mostralo a un compagno!

Qualche parola in più

Altri mestieri

agricoltore   avvocato   casalinga   commesso/a   cuoco/a   giornalista

infermiere/a   insegnante   medico   muratore   operaio/a

In giro 2

Comunicazione:

◇ Grazie mille.
□ Di niente.

◇ Che ora è?/Che ore sono?
□ Sono le tre./È mezzogiorno./È l'una.

◇ A che ora arriviamo?
□ Alle nove./A mezzanotte./All'una.

Come, scusi/scusa?

◇ (Sa/sai) dov'è la stazione?
□ È qui vicino./È lontano./Non lo so.

dal lunedì alla domenica, dalle 8 alle 9

Grammatica:

• i numeri da 0 a 12
• presente dei verbi regolari: *arriviamo, chiediamo, partiamo*
• presente dei verbi irregolari: *andiamo, abbiamo, dobbiamo, siamo, facciamo, possiamo, sappiamo, stiamo, veniamo*
• preposizioni: *per*

Geografia italiana

Le città più grandi e importanti di ogni regione si chiamano "capoluoghi". Guarda la cartina dell'Italia e abbina ogni regione al capoluogo, come negli esempi.

Regione	Capoluogo	Regione	Capoluogo
Val D'Aosta	Aosta	Sardegna	Cagliari
Piemonte	Torino	Basilicata	Potenza
Liguria	Genova	Sicilia	Palermo
Lombardia	Milano	Puglia	Bari
Trentino Alto Adige	Trento	Calabria	Catanzaro
Veneto	Venezia	Toscana	Firenze
Friuli Venezia Giulia	Trieste	Marche	Ancona
Emilia Romagna	Bologna	Campania	Napoli
Umbria	Perugia	Molise	Campobasso
Lazio	Roma	Abruzzo	L'Aquila

2a Che ore sono?

CD 12 Ascolta il dialogo.

Vocabolario

stazione   binario

controllore

biglietto

Verso le quattro. = Alle quattro circa.

Va bene! = OK!

♦ Grazie mille!
■ Di niente! = Prego!

I numeri

0 zero 1 uno 2 due 3 tre 4 quattro
5 cinque 6 sei 7 sette 8 otto 9 nove
10 dieci 11 undici 12 dodici

Fonetica

z	+	ia, ie, io (all'interno di una parola)	= [tʃ] z sorda	sta<u>z</u>ione, gra<u>z</u>ie

---

♦ Mi scusi, che ore sono?
● Sono le tre e mezza.
♦ Sa a che ora arriviamo a Firenze?
● Ma questo treno non va a Firenze!
♦ Come scusi?!
● Per Firenze deve cambiare a Milano e prendere il treno per Napoli. Milano è la prossima stazione.
♦ E quando arriviamo?
● Non so... Chiediamo al controllore.

▲ Biglietti prego!
♦ Ecco. Mi scusi, a che ora arriviamo a Milano?
▲ Purtroppo abbiamo dieci minuti di ritardo, arriviamo verso le quattro. Ah, Lei deve andare a Firenze. Il treno per Firenze parte alle quattro e un quarto, dal binario 11 (undici).
♦ Ah va bene. Grazie mille.
▲ Di niente, buon viaggio!

» Comunicazione

• **Chiedere e dire l'ora e l'orario**
  ■ Che ora è? / Che ore sono?
  ● 08:00 Sono le otto. / 08:10 Sono le otto e dieci. / 08:15 Sono le otto e un quarto. / 08:30 Sono le otto e mezza. / 08:40 Sono le nove meno venti. / 08:45 Sono le nove meno un quarto. 00:00 È mezzanotte. / 12:00 È mezzogiorno, / 01:00 È l'una.

  ■ **A** che ora arriviamo?
  ● Arriviamo **alle** quattro / **a** mezzogiorno / **all'**una.

• **Chiedere di ripetere**
  formale: Come, scusi?
  informale: Come, scusa?

• **Non saper dare un'informazione**
  Non so. = Non **lo** so.

» Grammatica

Presente dei verbi regolari

	arrivare	chiedere	partire
io	arrivo	chiedo	parto
tu	arrivi	chiedi	parti
lui/lei	arriva	chiede	parte
noi	arriv**iamo**	chied**iamo**	part**iamo**

Preposizioni

Il treno **per** Napoli.

Presente dei verbi irregolari

	andare	avere	dovere	essere	sapere
io	vado	ho	devo	sono	so
tu	vai	hai	devi	sei	sai
lui/lei	va	ha	deve	è	sa
noi	andiamo	abbiamo	dobbiamo	siamo	sappiamo

Esercizi 2 a

1. Comprensione e pronuncia

1. Scusi signora, che ore sono?
2. Sono le sei e mezza.
3. Quando arriviamo a Napoli?
4. Purtroppo abbiamo cinque minuti di ritardo.
5. Il treno per Parma parte dal binario otto.
6. Arriviamo verso le quattro meno un quarto.

CD 13 Ascolta le frasi e ripeti.

2. Verbi

deve – va – abbiamo – chiediamo – parte – arriviamo

1. (Noi) _abbiamo_ dieci minuti di ritardo.
2. A che ora (noi) _arriviamo_?
3. Questo treno non _va_ a Bari.
4. Lei _deve_ cambiare a Milano.
5. (Noi) _chiediamo_ al controllore.
6. Il treno per Firenze _parte_ alle quattro.

Completa le frasi con i verbi della lista.

3. Numeri e operazioni

Esempio: 9 - 3 = 6 / Nove meno tre uguale sei.

1. 10 - 3
2. 7 + 2
3. 12 - 9
4. 8 + 3
5. 5 - 4
6. 1 + 6
7. 10 - 5
8. 2 + 8
9. 4 + 1
10. 3 - 2
11. 11 + 1
12. 7 - 6

Lavora con un compagno. A turno uno di voi indica il risultato come nell'esempio.
Attenzione: + più - meno = uguale

4. Che ore sono? / Che ora è?

Esempio: 03:30 - Sono le tre e mezza.

1. 03:40
2. 07:15
3. 04:45
4. 05:00
5. 12:00
6. 01:30
7. 02:45
8. 00:00
9. 11:15
10. 06:30
11. 08:45
12. 10:00

Lavora con un compagno. Uno fa la domanda, l'altro risponde come nell'esempio. Poi scambiatevi i ruoli.

5. Parlare

- Biglietti prego!
- Ecco. Mi scusi, a che ora arriviamo a **Firenze**?
- Alle **due e mezza**.
- Mi scusi, devo cambiare a **Bologna**?
- No, deve cambiare a **Verona**.
- E a che ora arriviamo a **Verona**?
- All'**una**.

Lavora con un compagno. Siete in treno. Uno di voi è un passeggero, l'altro un controllore. Usate il modello qui accanto e improvvisate un dialogo. Cambiate le parole **evidenziate**. Potete usare la cartina a pagina 23 e inventare gli orari.

VENTICINQUE **25**

2b È lontano?

Vocabolario

aperto ↔ chiuso

piazza

a piedi ↔ in macchina

valigia

autobus

fermata (dell'autobus)

Non importa. = Non è importante.

Fonetica

a	+	u	= [a] + [u] due suoni distinti	**au**tobus
gg, g	+	e, i	= [dʒ]	o**gg**i
z	+	-azza, -ezza, -ozza	= [tʃ] z sorda	pi**azza**

CD 14 Ascolta il dialogo.

♦ Scusi, dov'è l'ufficio informazioni?

● È qui di fronte, ma oggi è chiuso. Può provare in piazza del Duomo.

♦ È lontano?

● No, no, è qui vicino. Può andare a piedi.

♦ Ma ho le valigie…

● Allora può prendere l'autobus. Il 12 (dodici). Può comprare il biglietto lì, vede?

♦ E dov'è la fermata?

● Dunque, deve attraversare la piazza e poi…

♦ No, no, scusi, non importa. Prendo un taxi. Dov'è la stazione?

● Ah, è qui di fronte, vede?

♦ Benissimo. Grazie e arrivederci.

» Comunicazione

- **Chiedere e dare informazioni stradali**

  formale:
  ■ (Scusi) Sa dov'è…?

  informale:
  ■ (Scusa) Sai dov'è…?

  ● È qui / qui vicino / qui di fronte / lontano.

  ● vicino

  ● lontano

  ● di fronte

» Grammatica

Presente dei verbi irregolari

	fare	**potere**	**stare**	**venire**
io	faccio	posso	sto	vengo
tu	fai	puoi	stai	vieni
lui/lei	fa	può	sta	viene
noi	facciamo	possiamo	stiamo	veniamo

Spesso i pronomi soggetto (io, tu, lei, ecc.) non sono espliciti:
Arriviamo verso le quattro. = **Noi** arriviamo verso le quattro.
Nel secondo esempio c'è più enfasi sul soggetto (noi).

A volte dopo i verbi dovere e potere c'è un infinito:
Deve **prendere** il treno per Napoli.
Può **provare** in piazza Del Duomo.

---

26 VENTISEI

1. Comprensione e pronuncia

1. Dov'è la fermata dell'autobus?
2. La piazza del Duomo è vicina?
3. È un po' lontano. Può andare a piedi.
4. Dove posso comprare il biglietto?
5. Lì, deve attraversare la piazza.
6. Scusi, non importa. Prendo l'autobus.

CD 15 Ascolta le frasi e ripeti.

2. Dialogo disordinato

4 Allora può prendere un taxi.

2 No, è qui vicino. Può andare a piedi.

6 È qui di fronte, vede?

3 Ma ho le valigie…

1 Scusi, l'ufficio informazioni è lontano?

5 Dov'è la stazione dei taxi?

Ordina le frasi e forma un dialogo logico. Poi ripeti il dialogo insieme a un compagno.

3. Comprensione orale

1. Cosa cerca Pietro?
   a. L'ufficio informazioni.
   b. La stazione dei taxi.

2. È lontano?
   a. Sì, è lontano.
   b. No, è vicino.

3. È ancora aperto oggi?
   a. No, è chiuso.
   b. Sì, è aperto.

CD 16 Ascolta e seleziona l'opzione corretta.

4. Sostituzione

*Per andare **lì**, deve prendere **il tram**.*

1. lì – il tram
2. in piazza del Duomo – un taxi
3. a Milano – il treno
4. a Firenze – l'autobus
5. in piazza Garibaldi – la metro
6. a Perugia – la macchina

Sostituisci le parole **evidenziate** nell'esempio con le parole della lista.

5. Parlare

● Scusi, dov'è **l'ufficio informazioni**?

♦ È in piazza della Repubblica.

● È lontano?

♦ No, è vicino.

● Benissimo, grazie mille.

a. l'ospedale
b. la fermata dell'autobus
c. la stazione
d. la metro

Lavora con un compagno. Improvvisate un dialogo seguendo il modello. Sostituite le parole **evidenziate** con le parole della lista.

Vocabolario

piscina

farmacia   metro(politana)

orario continuato = non stop

i giorni della settimana
lunedì
martedì
mercoledì
giovedì
⎫
⎬ settimana
⎭
venerdì
sabato ⎤ weekend/fine
domenica ⎦ settimana ♂

Attenzione:
dal lunedì **al** venerdì
dal lunedì **alla** domenica
dalla domenica al martedì

CHIUSO PER FERIE

Leggi gli orari e poi rispondi alle domande insieme a un compagno.

Piscina "Delfino"

DAL LUNEDÌ AL VENERDÌ	DALLE 08:00 ALLE 21:30
SABATO E DOMENICA	DALLE 10:00 ALLE 19:30

Farmacia
orario continuato
8:30 - 20:00
dal lunedì al sabato
DOMENICA CHIUSO

Banca
Popolare di Terni

mattina: **8:35 - 14:00**
pomeriggio: **15:15 - 16:16**
sabato: **solo mattina**

ROMA
METROPOLITANE   LINEA A

dalla domenica al giovedì: 05:30 - 23:30
venerdì e sabato: 05:30 - 01:30

1. Che cosa è aperto tutto il fine settimana? *Piscina Delfino*

2. Che cosa chiude per la pausa pranzo? *Banca*

3. Che cosa cambia orario il sabato? *Banca*

1. Giorni disordinati

sabato – venerdì – martedì – domenica – giovedì – lunedì – mercoledì

1. lunedì   5. venerdì
2. martedì   6. sabato
3. mercoledì   7. domenica
4. giovedì

Ordina i giorni della settimana.

2. Vero o falso?

1. A Roma il lunedì puoi prendere la metro a mezzanotte.   V **(F)**
2. È sempre possibile andare in banca alle 15.   V **(F)**
3. La piscina fa orario continuato.   **(V)** F
4. La farmacia è aperta per tredici ore.   V **(F)**
5. Il martedì a pranzo la banca chiude per un'ora e un quarto.   **(V)** F

Rileggi gli orari a pagina 28 e indica con una "X" se le informazioni sono vere o false.

3. Frasi incomplete

alla – al (4) – dalla – dal (4)

1. La banca è aperta __dal__ lunedì __al__ venerdì.
2. Mio fratello studia italiano __dal__ mercoledì __al__ sabato.
3. Lavoriamo a Monza __dalla__ domenica __al__ giovedì.
4. Vai al mare __dal__ venerdì __alla__ domenica?
5. Il negozio è chiuso __dal__ sabato __al__ lunedì.

Completa le frasi con le preposizioni della lista. Attenzione: devi usare quattro volte *al* e quattro volte *dal*.

4. Orari

Supermercato " Orario continuato "
08:00 – 00:00

dal lunedì
al sabato

Domenica chiuso

Scrivi l'orario dei supermercati nel tuo paese. Indica l'ora e i giorni della settimana. Se non hai queste informazioni, usa la tua immaginazione! Poi confrontati con un compagno.

I simboli della città

Le immagini sono molto utili e possono aiutarti a indovinare il significato delle parole che ancora non conosci. Guarda questi cartelli molto diffusi e abbinali al loro significato come nell'esempio.

centro della città – parcheggio a pagamento – fermata scuolabus – stazione di servizio – parcheggio per disabili – polizia – stazione ferroviaria – vigili del fuoco/pompieri

1 *Centro della città*

2 *Stazione di servizio*

3 *Polizia*

4 vigili del fuoco/ pompieri

5 *Stazione ferroviaria*

6 *Fermata scuolabus*

7 *Parcheggio a pagamento*

8 *Parcheggio per disabili*

Qualche parola in più

Altri mezzi di trasporto

nave

tram

aereo (→ aeroporto)

corriera/pullman

moto(cicletta)

bici(cletta)

timbrare/convalidare il biglietto

Cercare una camera 3

Parli italiano?

Quando sei in vacanza, dove preferisci dormire? Seleziona una sistemazione e confrontati con un compagno. Puoi verificare il significato di alcune parole a pagina 38.

Sistemazioni:

1. albergo
2. bed & breakfast
3. campeggio
4. ostello
5. pensione
6. agriturismo

Preferisco dormire in un/una: _albergo_

Comunicazione:

◇ *Posso aiutarti/La?*
☐ *Sì, cerco... / No, grazie.*

◇ *Come si scrive?*
☐ *Si scrive...*

Può fare lo spelling, per favore?

Vorrei prenotare una camera.

◇ *Pronto?*
☐ *Pronto? Buongiorno, sono Maria.*

◇ *Qual è il tuo numero di telefono?*
☐ *(Il mio numero) è...*

Oggi è il primo maggio.

Grammatica:

- i numeri da 13 a 100
- presente dei verbi: *cerco, voglio*
- nomi plurali: *telefoni, mari, stelle, stazioni*
- preposizioni: *fino a, dal... al...*
- interrogativi: *quanti/e?*

3a Cerco un albergo.

Ascolta il dialogo.

◆ Buongiorno, posso aiutarLa?
● Sì, cerco un albergo qui a Firenze.
◆ Per quando?
● Da oggi per tre notti.
◆ Allora dal 14 al 17 agosto. A quante stelle?
● Tre.
◆ Vuole una singola o una doppia?
● Una matrimoniale…

◆ Allora… c'è l'albergo "Il Moro". Una matrimoniale costa 95 euro a notte.
● Mh, è un po' caro…
◆ Altrimenti c'è "Lo Scudo", viene 70 euro.
● Ed è in centro?
◆ Sì, sì, assolutamente! È in piazza San Marco.
● Ah perfetto! Mi può dare il numero di telefono?
◆ Certo: 055 15 23 78.

Vocabolario

albergo = hotel

stella

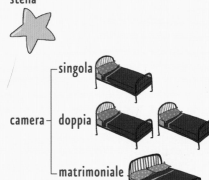

camera — singola / doppia / matrimoniale

Costa 70 euro. = Viene 70 euro.

a notte = per una notte

telefono (fisso) cellulare ♂

i mesi dell'anno (e le stagioni)

gennaio ┐
febbraio ┘ — inverno

marzo ┐
aprile — primavera
maggio ┘

giugno ┐
luglio — estate ┐
agosto ┘ │
            ├ anno
settembre┐ │
ottobre — autunno ┘
novembre┘

dicembre   inverno

Fonetica

e congiunzione	[é]
è verbo *essere*	[ɛ]

» Comunicazione

• **Dare e chiedere aiuto**

formale: ■ Posso aiutar**La**?   ● Sì, cerco… / Sì, mi può dare…?

informale: ■ Posso aiutar**ti**?   ● Sì, cerco… / Sì, mi puoi dare…?

• **I numeri da 13 a 100**

13 tredici 14 quattordici 15 quindici 16 sedici 17 diciassette
18 diciotto 19 diciannove 20 venti 21 ventuno 22 ventidue
23 ventitré 28 ventotto 30 trenta 40 quaranta 50 cinquanta
60 sessanta 70 cinquanta 80 ottanta 90 novanta 100 cento

• **Indicare la data**

03/02 = il tre febbraio   11/07 = l'undici luglio
Attenzione: 01/05 = il **primo** maggio

» Grammatica

Presente dei verbi regolari e irregolari

	cercare	**vol**ere
io	cerco	voglio
tu	cerc**hi**	vuoi
lui/lei	cerca	vuole
noi	cerc**hi**amo	vogliamo

A volte dopo il verbo *volere* c'è un infinito:
Voglio **andare** a Bologna.

Sostantivi plurali

maschile ♂
telefono → telefon**i**
mare → mar**i**

femminile ♀
stella → stell**e**
stazione* → stazion**i**

* I nomi che finiscono in *-sione/-zione* sono generalmente femminili.

1. Comprensione e pronuncia

1. Cerco un albergo qui a Venezia.
2. Va bene, e per quando?
3. Vorrei una camera dal 21 al 23 maggio.
4. C'è un albergo a quattro stelle qui?
5. Sì, c'è l'albergo "Il Moro" in centro.
6. Ma è un po' caro, costa 100 euro a notte.

CD 18 Ascolta le frasi e ripeti.

2. Singolare e plurale

1. stanze *e*
2. giorni *i*
3. notte *i*
4. stelle *e*
5. telefoni *i*
6. studenti *i*
7. indirizzi *i*
8. fratelli *i*
9. camere *e*
10. ore *e*
11. pensioni *i*
12. fermate *e*

Trasforma le parole dal singolare al plurale, poi confrontati con un compagno.

3. Quanto costa?

*Quanto costa l'albergo? – Costa **95** euro a notte.*

1. 95
2. 70
3. 49
4. 84
5. 32
6. 51
7. 18
8. 23
9. 66
10. 89
11. 40
12. 37

Lavora con un compagno. Ripetete il dialogo seguendo il modello. Sostituite la cifra **evidenziata** in euro con i numeri della lista. Scambiatevi i ruoli dopo ogni scambio.

4. Frasi incomplete

dare – quanti – caro – centro – singola – albergo

1. Cerco un albergo per tre notti.
2. Vuole una singola o una matrimoniale?
3. Va bene ma per quanti giorni?
4. L'albergo non è in centro, vero?
5. Mi può dare il numero?
6. Purtroppo è un po' caro.

Completa le frasi con le parole della lista.

5. Numeri di telefono

● Il mio numero di telefono è... E il tuo numero?
♦ Il mio numero è...

A turno ogni studente dice il suo numero di telefono. Gli altri studenti scrivono il numero. Alla fine confrontatevi tutti insieme.

3b Vorrei prenotare una camera.

(CD) 19 Ascolta il dialogo.

♦ Albergo "Lo Scudo", buongiorno.
● Buongiorno, vorrei prenotare una camera matrimoniale da oggi.
♦ Per quante notti?
● Tre, fino al 17.
♦ Dunque vediamo… Benissimo, non c'è problema. A che nome?
● Müller.
♦ Mi può fare lo spelling, per favore?

● Emme come Milano, u come Udine con due puntini, doppia elle come Livorno, e come Empoli, erre come Roma.
♦ Müller. Perfetto.
● Mi può mandare la conferma per e-mail? Il mio indirizzo è Mueller345@bestmail.de.
♦ Va bene.
● Grazie mille. Arrivederci e a giovedì.

Vocabolario

indirizzo di posta elettronica/indirizzo e-mail

Nome: CARLO
Cognome: BENEDETTI
Indirizzo: VIA PAOLINA, 31 00185 ROMA
e-mail: carloben@gmail.it

@ = chiocciola
Attenzione: www.ciao.it = vu - vu - vu - punto - ciao - punto - i - t

a giovedì = ci vediamo giovedì

mandare (= inviare)
- un'e-mail
- un fax
- una lettera
- un messaggio

Fonetica

vocali accentate	
l'accento grafico si pronuncia con molta enfasi	città, perché, così, può, più

❯❯ Comunicazione

- **Chiedere e dire come si scrive una parola**
  - Come si scrive?
  - (Mi) può/puoi fare lo spelling? — ● Si scrive…

- **L'alfabeto**

lettera grafica	nome della lettera	lettera grafica	nome della lettera
a	a	n	enne
b	bi	o	o
c	ci	p	pi
d	di	q	cu
e	e	r	erre
f	effe	s	esse
g	gi	t	ti
h	acca	u	u
i	i	v	vu
j	i lunga	w	doppia vu
k	kappa	x	ics
l	elle	y	ipsilon
m	emme	z	zeta

- **Chiedere qualcosa gentilmente**

Può fare lo spelling, **per favore**?   **Vorrei** prenotare una camera.

❯❯ Grammatica

Preposizioni
Sto in questo albergo **fino al** 18 agosto.
Vengo in questo albergo **dal** 17 **al** 19 settembre.

Articoli determinativi singolari

parola maschile che inizia con *ps, s* + consonante, *z, x, y* e *gn*	**lo sp**elling

Interrogativi

maschile ♂
♦ **Quanti** fratelli hai?
■ Due.

femminile ♀
♦ **Quante** stelle ha questo albergo?
■ Quattro.

1. Comprensione e pronuncia

CD 20 Ascolta le frasi e ripeti.

1. Vorrei prenotare una camera singola.
2. Benissimo, e per quante notti?
3. Qual è il Suo numero di telefono?
4. Mi può fare lo spelling per favore?
5. Qual è il Suo indirizzo e-mail?
6. Mi può mandare la conferma?

....

2. Lo spelling

Lavora con un compagno. A turno uno studente fa lo spelling di uno dei nomi accanto e l'altro scrive il nome.

1. Alba Rohrwacher
2. Paolo Virzì
3. Carolina Kostner
4. Igiaba Scego
5. Lina Wertmüller
6. Malika Ayane
7. Gad Lerner
8. Edoardo Winspeare

....

3. Prenotazioni

Sostituisci il periodo **evidenziato** con le date della lista.

Vorrei prenotare una camera dal **15** *al* **18 giugno**.

1. 15 – 18/6
2. 9 – 11/12
3. 17 – 20/4
4. 25 – 27/10
5. 13 – 14/2
6. 21 – 29/7
7. 23 – 26/11
8. 1 – 12/8
9. 16 – 24/5
10. 19 – 22/3
11. 27 – 30/9
12. 28 – 31/1

....

4. Comprensione orale

CD 21 Ascolta e seleziona l'opzione corretta.

1. Il signor De Marco cerca...
   a. una camera.
   b. due camere.

2. Per quante notti?
   a. Per due notti.
   b. Per quattro notti.

3. Quanto costa a notte?
   a. Costa 90 euro.
   b. Costa 80 euro.

....

5. Scrivere

Scrivi una breve e-mail per prenotare una camera in un albergo.

Buongiorno,
vorrei prenotare una camera...

Cordialmente, _____ (+ il tuo nome)

3c   Una pensione a Roma

Vocabolario

pensione = albergo economico

fare shopping

colazione

cappuccino

→ succo (d'arancia)

→ cornetto

Attenzione: <u>fare</u> colazione

aria condizionata

alta stagione = luglio, agosto, dicembre
bassa stagione = gli altri mesi

Leggi la pagina web della pensione "Panda" e rispondi alle domande sotto insieme a un compagno.

Hotel *panda*

La pensione "Panda" si trova nel centro storico di Roma, a 50 metri da Piazza di Spagna. La sua posizione ideale permette di visitare Roma a piedi e di fare shopping negli eleganti negozi del centro.

Servizi

- colazione all'italiana (cappuccino, cornetto e succo di frutta): dalle 08:00 alle 10:00

- connessione wi-fi

- aria condizionata

È possibile prenotare per telefono, per e-mail o per fax.

Tariffe in euro

camere	alta stagione	bassa stagione
singola	90	50
doppia	120	80
matrimoniale	170	130

1. Perché la pensione "Panda" è molto pratica?

2. Che tipo di servizi offre la pensione "Panda"?

3. Come puoi prenotare una camera?

4. Che differenza di prezzo c'è tra l'alta e la bassa stagione?

'ALMA.tv ▶

Grammatica senza stress?
Su www.alma.tv ci sono le mini lezioni del Professor Tartaglione: vai nella sezione *Grammatica caffè!*

1. Singolare e plurale

1. colazione | 2. cornetto |
3. centro | 4. piazza *e*
5. connessione | 6. cappuccino |
7. mare | 8. cellulare |
9. stazione | 10. signore |

Trasforma le parole dal singolare al plurale, poi confrontati con un compagno.

....

2. Vero o falso?

1. Nella pensione "Panda" puoi fare colazione fino a mezzogiorno. **V (F)**
2. Per visitare il centro di Roma devi usare la macchina. **V (F)**
3. Per prenotare puoi mandare un'e-mail. **(V) F**
4. Ad agosto la camera doppia costa 120 euro. **(V) F**
5. La camera singola e la doppia hanno lo stesso prezzo. **V (F)**

Rileggi il testo a pagina 36 e indica con una "X" se le informazioni sono vere o false.

....

3. Testo incompleto

possibile – fare – si trova – posizione – storico – visitare

La pensione "Panda" __si trova__ nel centro
__storico__ di Roma, a 50 metri da Piazza di Spagna.
La sua __posizione__ ideale permette di
__visitare__ Roma a piedi e di __fare__ shopping
negli eleganti negozi del centro.
È __possibile__ prenotare per telefono, e-mail o fax.

Completa il testo con le parole della lista. Non guardare pagina 36! Alla fine confrontati con un compagno.

....

4. Parlare

♦ Pensione "Panda", buongiorno.
● Buongiorno, vorrei prenotare...

Lavora con un compagno. Improvvisate una conversazione al telefono. Uno studente è un turista, l'altro lavora alla reception della pensione "Panda". Il cliente telefona per prenotare una camera.

....

5. L'opzione corretta

1. La pensione "Panda" si trova **(nel)/per** centro storico.
2. La colazione è servita **di/(dalle)** 8 **a/(alle)** 10.
3. La pensione "Panda" permette di visitare Roma **con/(a)** piedi.
4. È possibile prenotare **(per)/da** telefono.
5. La pensione "Panda" si trova a 50 metri **con/(da)** Piazza di Spagna.

Leggi le frasi e seleziona la preposizione corretta. Non guardare il testo originale!

3 Cultura e civiltà

Leggi l'articolo, poi guarda la tabella e completa il testo.

L'Italia e la sua gente

Abitanti

In Italia vivono circa 61 milioni di persone. Le città più popolose sono Roma, Napoli, Milano, Torino e Palermo.

Italia paese di emigrazione (inizio del 20° secolo)

L'Italia è un paese di emigrazione: le destinazioni principali sono gli Stati Uniti, l'Argentina, il Brasile, la Francia, la Germania e il Belgio. Oggi gli italiani residenti all'estero sono circa 4,2 milioni.

Italia paese di immigrazione (dal 1990 a oggi)

Il paese diventa meta di immigrazione. Oggi le comunità più numerose vengono dai seguenti paesi:
1. _La Romania_ 2. _L'Albania_
3. _Il Marocco_ 4. _La Cina_ e
5. _L'Ucraina_ Vivono in Italia anche molti filippini (6), moldavi (7), indiani (8), polacchi (9) e tunisini (10).

Nel 2011 i cittadini stranieri ufficialmente residenti in Italia sono il 7,5% della popolazione, cioè circa 4,5 milioni di persone.

paese	residenti
la Cina	± 210.000
il Marocco	± 450.000
la Romania	± 970.000
l'Ucraina	± 200.000
l'Albania	± 480.000

Qualche parola in più

Altre sistemazioni

campeggio   agriturismo

ostello

Telefonare

◆ Pronto?

● Pronto? Buongiorno, sono Maria.

◆ Qual è il tuo numero di telefono?

● (Il mio numero) è...

Alberghi

colazione inclusa = colazione

pranzo   cena

pensione completa
= pranzo + cena

mezza pensione
= o pranzo o cena

Vacanze in appartamento 4

In casa

Abbina gli elementi nella foto ai nomi della lista come nell'esempio.

1. l'armadio
2. il quadro
3. il lampadario
4. il letto
5. la finestra
6. la lampada

Comunicazione:

È per due notti, no/vero?

per cortesia

◇ Potrei farLe/farti una domanda?
□ Certo, mi dica!/dimmi!

Non si preoccupi/Non ti preoccupare!

◇ Grazie.
□ Si figuri./Figurati.

Grammatica:

• numeri ordinali da 1° a 10°
• possessivi: *suo/sua*
• preposizioni articolate: *al/alla, nel/nella*
• plurali invariabili: *città, caffè, bed and breakfast*
• *Mi piace./Non mi piace per niente.*
• partitivo: *dei ragazzi, delle camere*

4a Ho una prenotazione.

Vocabolario

carta d'identità

Nome:
VERONICA
Cognome:
SPINELLI
Nata il:
07/10/1990
Residenza:
via DELLA SCALA, PRATO

Firma

camera da letto

cucina

bagno

 ← a sinistra   a destra →

terrazzo

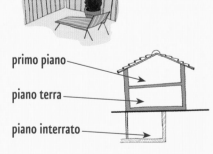

primo piano
piano terra
piano interrato

a domattina = ci vediamo domani mattina

Fonetica

gn	[ɲ]	ba**gn**o

- Salve.
- Buonasera, abbiamo una prenotazione a nome "Chiabotto".
- Certo, benvenuti! Posso avere un Suo documento?
- Va bene la carta di identità?
- Benissimo. È per due notti, no?
- No, no per cinque notti. Ripartiamo sabato.
- Ah, sì giusto! Allora, la vostra camera da letto è qui accanto alla cucina. Io dormo nella stanza di fronte.
- Perfetto.
- Il bagno è qui a sinistra.
- Grazie. Ah, la colazione è compresa nel prezzo, vero?
- Certo, come in tutti i bed and breakfast! La servo nel terrazzo al secondo piano, fino alle 10.
- Benissimo, allora grazie e buonanotte.
- A domattina!

Comunicazione

- **Chiedere conferma**

  È per due notti, **no?**   La colazione è compresa nel prezzo, **vero?**

- **I numeri ordinali**

  1° primo   2° secondo   3° terzo   4° quarto   5° quinto   6° sesto
  7° settimo   8° ottavo   9° nono   10° decimo

  Attenzione: il prim**o** giorno   la second**a** notte

Grammatica

Aggettivi possessivi: *suo/sua*

maschile	il documento di Paolo	**il suo** documento
femminile	la carta d'identità di Martina	**la sua** carta d'identità

Attenzione: suo marito, **sua** moglie, **sua** sorella, **suo** nonno, ecc.

Sostantivi invariabili

singolare	plurale
città, caffè	città, caffè
bed and breakfast hotel	bed and breakfast hotel

Preposizioni articolate singolari: *a* e *in*

	il	la
a	al	alla

Esempi: accanto **alla** cucina, **al** secondo piano

	il	la
in	nel	nella

Esempi: nel terrazzo, **nella** stanza

1. Comprensione e pronuncia

1. Ho una prenotazione.
2. Il Suo nome, per favore.
3. Ha un documento?
4. Ecco la mia carta d'identità.
5. Avete dei bagagli?
6. La colazione non è compresa nel prezzo.

CD 23 Ascolta le frasi e ripeti.

2. La risposta giusta

1. Ha una prenotazione?
   a. No, grazie.
   b. Sì, ecco la conferma.

2. È per due notti, vero?
   a. No, per tre.
   b. No, la camera è al secondo piano.

3. La colazione è compresa nel prezzo?
   a. Sì, il bagno è a destra.
   b. No, mi dispiace.

4. Dov'è la cucina?
   a. Qui a sinistra.
   b. Dalle 10 alle 12.

Seleziona l'opzione corretta. Poi ripeti i minidialoghi insieme a un compagno.

3. Frasi da ricomporre

1. Come posso
2. Scusi, può dirmi
3. Quanto
4. La camera
5. Può mandare

a. costa la camera a notte?
b. una conferma, per favore?
c. aiutarLa?
d. costa 80 euro, vero?
e. dov'è la banca?

send

Abbina le parole della prima e della seconda colonna e forma delle frasi logiche.

4. Sostituzione

*Ho una prenotazione per una camera al **secondo** piano, per **una notte**.*

1. 2° – una notte
2. 5° – 3 notti.
3. 1° – 6 notti
4. 3° – 4 notti
5. 4° – 2 notti
6. 6° – 5 notti

Sostituisci le parole **evidenziate** nell'esempio con le parole della lista.

5. Parlare

● Buongiorno, abbiamo una prenotazione per…
◆ Buongiorno, Lei è il signor/la signora…?
● Mi chiamo…
◆ Ah, sì, è per… notti, vero?

Lavora con un compagno. Improvvisate un dialogo. Uno studente è un turista, l'altro ha un bed and breakfast. Il turista arriva e si presenta per avere la sua camera.

4b La camera non mi piace.

CD 24 Ascolta il dialogo.

♦ Buonasera, signor Chiabotto, tutto bene?

● Buonasera, signora Ludovici. Posso farLe una domanda?

♦ Prego, mi dica.

● Mi scusi tanto, ma la camera non mi piace. È piccola e rumorosa per via della strada. Ha delle camere più silenziose?

♦ Hm, vorrei aiutarLa, ma purtroppo stasera sono tutte occupate. Però domani si libera una camera con vista sul cortile interno. Molto più tranquilla!

● Va bene, possiamo aspettare fino a domani. Ma c'è un altro problema, nel bagno. La doccia non funziona e non c'è acqua calda!

♦ Eh, lo so, l'idraulico arriva oggi alle 3. Non si preoccupi, nel pomeriggio è tutto risolto!

● Ottimo. Grazie mille.

♦ Si figuri.

›› Comunicazione

- **Chiedere un'autorizzazione**

  formale: ■ **Posso** farLe una domanda? ● Certo, mi dica!

  informale: ■ **Posso** farti una domanda? ● Certo, dimmi!

- **Tranquillizzare**

  formale: Non si preoccupi!

  informale: Non ti preoccupare!

- **Ringraziare e rispondere ai ringraziamenti**

  ■ Grazie (mille). formale: ● Si figuri! ⎤

  informale: ● Figurati! ⎦ = di niente

›› Grammatica

Il verbo *piacere* con i nomi singolari

La camera mi piace. /

La camera non mi piace.

♦ Ti piace **questa città?**

● Sì, mi piace molto! /

No, non mi piace per niente.

Partitivo con *di* (= un po' di)

maschile plurale
Conosco **dei** ragazzi italiani.
femminile plurale
Ha **delle** camere libere?

Vocabolario

casa piccola

casa grande

strada

però = ma

cortile

doccia

acqua

caldo   freddo

idraulico

per cortesia = per favore

Fonetica

s tra due vocali	= [z]	scu<u>s</u>i, rumor<u>os</u>a, ca<u>s</u>a

1. Comprensione e pronuncia

(CD) 25 Ascolta le frasi e ripeti.

1. Buongiorno, mi dica!
2. La camera non mi piace.
3. Mi dispiace, ma non ho camere libere.
4. Quando si libera una camera con vista sul mare?
5. La doccia non funziona.
6. Non si preoccupi!

2. Frasi negative

*La televisione **non** funziona.*

La negazione in italiano è facile! Trasforma le frasi accanto in frasi negative come nell'esempio, poi confrontati con un compagno.

1. La televisione funziona.
2. La camera ti piace? *non*
3. Voglio una camera grande. *Non*
4. La camera da letto è al primo piano. *non*
5. C'è acqua calda. *Non*
6. La casa è in una strada tranquilla. *non*

3. Comprensione orale

(CD) 26 Ascolta e seleziona l'opzione corretta.

1. La donna dice: non mi piace…
   a. questa casa.
   b. la mia camera.
2. La donna vuole…
   a. cambiare camera.
   b. cambiare bed and breakfast.
3. Che problema c'è?
   a. La doccia non funziona.
   b. Non c'è acqua calda in bagno.
4. Che cosa fa l'uomo?
   a. Dà una nuova camera alla donna.
   b. Chiama un idraulico.

4. L'opzione giusta

Seleziona la risposta logica. Poi ripeti la domanda e la risposta corretta insieme a un compagno.

1. Ha una camera con vista sul mare?
   a. Scusi, signora.
   b. Sì, ma è occupata fino a lunedì.
2. La camera ha un bagno privato?
   a. No, domani.
   b. Sì, è qui a destra.
3. Potrei avere una sedia, per cortesia?
   a. Sì, certo.
   b. Mi dica.

5. Parlare

Lavora con un compagno. Improvvisate un dialogo sulla base del modello: uno studente è un turista, l'altro gestisce un bed and breakfast. I due si incontrano la mattina. Il turista dice che ha dei problemi con la camera.

- Buonasera, come va? Tutto bene con la camera?
- Buonasera. Ho un piccolo problema.
- Ah, sì? Mi dica.
- Ho un problema con… / … non funziona.
- Oh, mi dispiace! Non si preoccupi, adesso telefono a…
- Grazie.

4c Appartamenti in affitto

Leggi gli annunci su due appartamenti in affitto a Roma. Il primo è in periferia, il secondo nel centro storico. Poi rispondi alle domande sotto insieme a un compagno.

Vocabolario

ascensore

soggiorno

cucina abitabile = cucina grande

cameretta

vasca (da bagno)

riscaldamento = termosifone

box auto

ore pasti = a pranzo e/o a cena

monolocale = appartamento con una stanza

angolo cottura = piccola cucina nel soggiorno

AFFITTASI

1

Appartamento di 70 metri quadrati al secondo piano con ascensore.
Quattro stanze: soggiorno con terrazzo (20 m^2), cucina abitabile, camera da letto e cameretta.
Bagno con vasca. Riscaldamento autonomo.
Box auto.

850 euro mensili. Telefonare ore pasti allo 06 79221367.

AFFITTASI

2

Monolocale a pochi metri dal Colosseo.
Trenta metri quadrati con angolo cottura.
Bagno con doccia. Quarto piano senza ascensore.
Riscaldamento elettrico.

700 euro mensili. Agenzia TuttoCase: 06 45443214 (orario d'ufficio).

Quale appartamento preferisci? *Numero uno*

La tua casa somiglia al primo o al secondo appartamento?

1. Vero o falso?

1. L'appartamento 1 è grande, ma non ha l'ascensore. V Ⓕ
2. L'appartamento 2 ha una camera e una cucina. Ⓥ Ⓕ
3. Nell'appartamento 1 non è possibile mangiare in cucina. Ⓥ Ⓕ
4. L'appartamento 2 non ha l'ascensore. Ⓥ F
5. I due appartamenti hanno il riscaldamento. Ⓥ F

Rileggi gli annunci immobiliari a pagina 44 e indica con una "X" se le informazioni sono vere o false.

2. Preposizioni

senza – al – dal – da – di

1. Affittasi appartamento __al__ secondo piano. Soggiorno, cucina, camera __da__ letto e cameretta. Bagno con vasca.
2. Affittasi monolocale __di__ 35 metri quadrati a pochi metri __dal__ Colosseo. Quarto piano __senza__ ascensore.

Completa le descrizioni degli appartamenti con le parole della lista.

3. Gruppi di parole

1. metri — a. abitabile
2. cucina — b. cottura
3. riscaldamento — c. quadrati
4. secondo — d. auto
5. box — e. piano
6. angolo — f. elettrico

Abbina le parole della prima e della seconda colonna e forma gruppi di parole coerenti.

4. Scrivere

AFFITTASI

Abito in casa a 100 metri dal centro È fantastico, quattro camera da letto, due bagno, una vasca, una doccia con molto bella cortile ed una cucina abitabile.

Usa i testi a pagina 44 come modello e scrivi un annuncio immobiliare per un appartamento in affitto. Puoi descrivere la casa dove abiti, o dove abita un amico, o di fantasia!

4 Cultura e civiltà

Le case degli italiani

Leggi il testo, poi abbina le fotografie ai nomi della lista.

Il 60% degli italiani vive in condominio, mentre il 40% risiede in case individuali o monofamiliari. Nelle grandi città questa proporzione è persino superiore: l'86% della popolazione abita in appartamento all'interno di un condominio.

seminterrato – villetta monofamiliare – mansarda – condominio

1 *Condominio*   2 *Seminterrato*   3 *mansarda*   4 *villetta monofamiliare*

Attik   *Basement*

Qualche parola in più

La casa

balcone · specchio · termosifone · porta · frigorifero

lavandino · water · divano · poltrona · sedia

  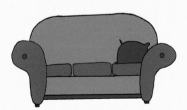  

1. Domande e risposte

Abbina le domande alle risposte appropriate.

1. Come va?
2. Lei di dov'è?
3. Che lavoro fai?
4. Mi scusi, è libero qui?
5. A che ora parte il treno?
6. Che ore sono?
7. Quanto costa la camera a notte?
8. Ti piace il tuo lavoro?

a. Sì, mi piace molto.
b. Sono infermiere.
c. Alle quattro meno un quarto.
d. 75 euro.
e. Tutto OK!
f. Le sei.
g. Certo, prego.
h. Di Buenos Aires.

2. L'espressione giusta

Scrivi le espressioni della lista accanto all'immagine corrispondente.

Pronto? Ciao, sono Leo. – Buone vacanze! – Piacere! – Prego, benvenuti!

1. _Piacere_

2. _Prego benvenuti_

3. _Buone vacanze_

4. _Pronto, Ciao sono Leo_

3. Frasi incomplete

Completa le frasi con le espressioni della lista.

dal – da – suo – piace – lo – vogliamo

1. La mia amica Marta viene ___da___ Catania.
2. Stasera ___vogliamo___ andare in discoteca.
3. Scusi, può fare ___lo___ spelling del Suo cognome?
4. Ti ___piace___ studiare italiano?
5. Questa è Stefania e questo è ___suo___ figlio Giordano.
6. I miei genitori vanno in vacanza ___dal___ 3 al 9 agosto.

4. Contrari

Scrivi gli aggettivi della lista accanto al loro contrario.

freddo – chiuso – divorziato – occupato – piccolo

1. caldo ___freddo___ 2. grande ___piccolo___ 3. libero ___occupato___
4. sposato ___divorziato___ 5. aperto ___chiuso___

Lavora con un compagno. Immaginate di essere nelle situazioni accanto e improvvisate un dialogo. Seguite i modelli e, se volete, usate anche altre espressioni. L'importante è improvvisare!

Potete anche cambiare compagno dopo ogni dialogo.

Attenzione: per il dialogo al punto 5 servono tre studenti!

5. Parlare

1. Studente A: il signor Rossi; studente B: il signor Furlan.
   Situazione: il signor Rossi incontra il signor Furlan.

● Buonasera, signor Rossi...
♦ Molto... E Lei?
● Io...
♦ Arrivederci e...

2. Studente A: una persona di 40 anni, italiana; studente B: una persona di 45 anni, non italiana.
   Situazione: le due persone si scambiano informazioni personali.

● Lei non è italiano/a , vero?
♦ No, sono... di... E Lei?
● ... E che lavoro fa?
♦ Sono... Lei è sposato/a?

3. Studente A: una persona adulta; studente B: il receptionist di un albergo.
   Situazione: la persona chiama l'albergo per prenotare una camera.

● Pronto, albergo... Mi dica.
♦ Vorrei prenotare una camera... dal... per... notte.
● Mi può dare il Suo nome, per favore?
♦ Mi chiamo... Mi può mandare la conferma...?

4. Studente A: un passeggero; studente B: un controllore.
   Situazione: il passeggero chiede informazioni sugli orari.

● A che ora arriviamo a...?
♦ ... abbiamo... minuti di ritardo, arriviamo verso...
● A che ora e da dove parte il treno per...?
♦ ... parte alle..., dal binario...

5. Studente A: Viola, una ragazza di 18 anni; studente B: Elena, una sua giovane amica; studente C: un ragazzo non italiano di 19 anni, amico di Elena.
   Situazione: Viola, Elena e il ragazzo si incontrano per strada.

● Salve Elena, come...?
♦ ... Ti presento...
● ... sei italiano?
■ ... Ciao!

6. Studente A: il cliente di un albergo; studente B: il receptionist dello stesso albergo.
   Situazione: il cliente spiega perché la sua camera non va bene.

● Salve, ho un problema con la camera.
♦ Mi dica, come posso aiutarla?
● Non funziona... non c'è...
♦ Non si preoccupi, adesso...

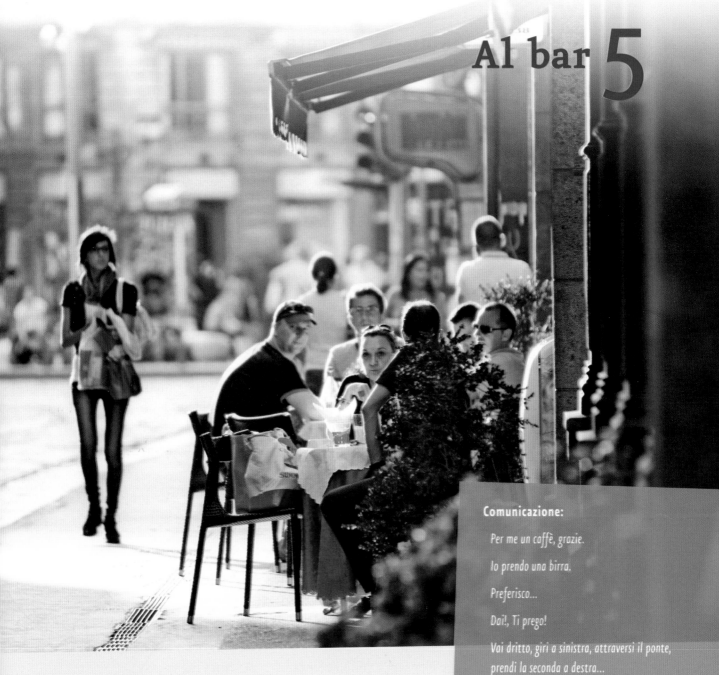

Al bar 5

Comunicazione:

Per me un caffè, grazie.

Io prendo una birra.

Preferisco...

Dai!, Ti prego!

Vai dritto, giri a sinistra, attraversi il ponte, prendi la seconda a destra...

Grammatica:
- *C'è la sagra della polenta., Ci sono locali interessanti.*
- *Mi piacciono le feste., Non ci piace ballare.*
- *Preferisco una serata tranquilla., Preferiamo ballare.*
- *presente dei verbi: tutte le forme regolari e irregolari)*
- *preposizioni articolate: del/della*

Prodotti da bar

Ecco una lista di bevande. Quali sono tipicamente italiane, secondo te? Rispondi e poi confrontati con un compagno. (Alcune parole sono nuove: puoi leggere il significato a pagina 50, 54 e 56.)

cappuccino	☐	birra	☐
espresso	☐	aranciata	☐
tè	☐	cioccolata calda	☐
vino	☐	tè freddo	☐

5 a Preferiamo una serata tranquilla.

Taste

(CD) 27 Ascolta il dialogo.

♦ Buongiorno.
● Buongiorno, vorrei un bicchiere di vino rosso e un panino al prosciutto.
♦ E per Lei?
■ Per me solo un caffè, grazie… Macchiato!
…
♦ Ecco qui.
● Grazie. Scusi, cosa si può fare di interessante qui la sera?
♦ Mah, ci sono molti locali interessanti, diverse discoteche…
● Sì, ma… non ci piace molto ballare. Preferiamo una serata tranquilla. Sa se c'è un cinema o un teatro?
♦ Sì, sì, c'è il cinema "Astra", in via Gentileschi. Ma questa settimana c'è la sagra della polenta.
■ Che cos'è?
♦ È una festa dedicata alla polenta. Potete assaggiare diverse ricette tradizionali, e poi ci sono concerti, spettacoli…
● Mah, non so…
■ Sì, dai! Mi piacciono le feste tradizionali. E mi piace la polenta!

Vocabolario

bicchiere

vino rosso

vino bianco

panino

prosciutto

caffè

caffè macchiato = caffè con un po' di latte

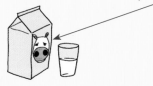

locale ♂ = discoteca, nightclub

sagra = festa popolare

polenta = piatto a base di mais

Fonetica

sc	+	e, i	= [ʃ]	ascensore
sci	+	a, e, o, u	= [ʃ]	prosciutto

>> Comunicazione

• **Ordinare al bar**

Vorrei un bicchiere di vino.
Io prendo una birra.

Per me un caffè, grazie.

• **Indicare preferenze**

(Noi) **preferiamo** una serata tranquilla.

• **Insistere**

Sì, **dai!** = Sì, **ti prego!**

>> Grammatica

C'è e ci sono
Oggi **c'è** la sagra della polenta.
In questa città **ci sono** locali interessanti.

Piacere
Mi piacciono le feste tradizionali.
Non ci piace ballare.
Attenzione: mi = a me, **ti** = a te, **ci** = a noi

Accordo tra nomi e aggettivi
un vin**o** ross**o**
una serat**a** tranquill**a**
dei local**i** piccol**i** ma interessant**i**
le ricett**e** italian**e** tradizionali

Presente dei verbi: *preferire*

io	prefer**isc**o	noi	preferiamo
tu	prefer**isc**i	voi	preferite
lui/lei	prefer**isc**e	loro	prefer**isc**ono

Funzionano come *preferire*: *capire, finire.*

1. Comprensione e pronuncia

1. Vorrei un bicchiere di vino bianco.
2. Per me solo un cappuccino, grazie.
3. Cosa si può fare qui la sera?
4. Non mi piace molto ballare.
5. Dove posso assaggiare ricette tradizionali?
6. Sa se c'è un pub o una discoteca?

(CD) 28 Ascolta le frasi e ripeti.

2. Scrivere

Al bar (cliente + barista)

◆ Buongiorno, vorrei *una bottiglia di vino rosa*
■ Ecco qui.
◆ Grazie. Senta, sa se c'è *un cinema o un teatro*?
■ Sì, ci sono molti *cineme* e c'è anche *un teatro*.
◆ E sa anche se c'è *~~discoteche~~* ? *sagra*
■ Certo! C'è la festa *della polenta*

Lavora con un compagno. Usate la vostra immaginazione e scrivete un dialogo di fantasia tra un cliente e un barista. Poi dividetevi i ruoli e leggete il dialogo a voce alta.

3. Sostituzione

Questa settimana c'è il carnevale di Venezia?

1. questa settimana – il carnevale di Venezia
2. lunedì prossimo – il festival del cinema di Roma
3. oggi – la sagra del cioccolato
4. domani – la festa della birra
5. stasera – il festival dell'Opera
6. a ottobre – la sagra del vino

Sostituisci le parole **evidenziate** nell'esempio con le parole della lista.

4. L'opzione corretta

plural = iono

1. **Non ~~mi piace~~ / Non mi piacciono** i ravioli con la ricotta.
2. **~~Ci piacciono~~ / Ci piace** molto il vino bianco.
3. **Ti piace / ~~Ti piacciono~~** andare a teatro?
4. **L'italiano ~~ti piacciono~~ / ti piace?**
5. **Mi piace / ~~Mi piacciono~~** moltissimo fare colazione al bar!

Seleziona l'opzione corretta e ripeti le frasi.

5. Parlare

● Offro io! Cosa prendi?
◆ Vorrei un latte macchiato.

● E tu?
■ …

Lavora con due compagni. Siete tre clienti in un bar. Uno di voi domanda agli altri cosa ordinano. Seguite il modello e improvvisate un breve dialogo.

5b È lontano a piedi?

Ascolta il dialogo.

Vocabolario

semaforo

andare dritto

girare

attraversare (la strada)

strisce (pedonali)
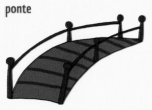

ponte

Buon appetito!

● Mi scusi, sa dov'è la sagra della polenta?

♦ Sì, è in piazza Matteotti...

● È lontano a piedi?

♦ No, no, è vicino, solo 10 minuti. Dunque... andate sempre dritto fino al semaforo, poi girate a sinistra, attraversate il ponte, girate alla seconda a destra e lì c'è piazza Matteotti.

● Allora: sempre dritto fino al semaforo, poi a sinistra, attraversiamo il ponte e alla prima a destra...

♦ No, no, alla seconda!

● Ah sì, giriamo alla seconda a destra e siamo arrivati.

♦ Giusto!

● Allora grazie mille e buona serata.

♦ Buona serata anche a voi. E buon appetito!

» Comunicazione

• **Dare indicazioni stradali**

(Tu) **Vai sempre dritto** fino al semaforo. (Lei) **Gira** a sinistra.
(Voi) **Attraversate** il ponte.

(Tu) **Prendi** la seconda traversa a sinistra.

(Voi) **Prendete** la prima traversa a destra.

» Grammatica

Presente dei verbi regolari (forme plurali)

	noi	voi	loro
girare	gir**iamo**	gir**ate**	gir**ano**
prendere	prend**iamo**	prend**ete**	prend**ono**
partire	part**iamo**	part**ite**	part**ono**

Presente dei verbi irregolari (forme plurali)

	noi	voi	loro
andare	andiamo	andate	vanno
avere	abbiamo	avete	hanno
cercare	cerchiamo	cercate	cercano
dovere	dobbiamo	dovete	devono
essere	siamo	siete	sono
fare	facciamo	fate	fanno
potere	possiamo	potete	possono
sapere	sappiamo	sapete	sanno
venire	veniamo	venite	vengono
volere	vogliamo	volete	vogliono

Presente dei verbi riflessivi (forme plurali): *chiamarsi*

noi ci chiamiamo,
voi vi chiamate,
loro si chiamano

Preposizioni articolate singolari: *di*

	il	la
di	del	della

Esempi: la sagra **del** vino / **della** polenta

1. Comprensione e pronuncia

1. Sa dov'è la sagra della pizza?
2. Sì, è in centro, in piazza Dante.
3. Andate sempre dritto fino alla chiesa.
4. Poi girate a sinistra e attraversate la piazza.
5. Non è lontano dal tuo albergo.
6. Grazie mille e buona serata!

(CD) 30 Ascolta le frasi e ripeti.

2. Frasi incomplete

sinistra – centro – dritto – mille – esatto – teatro

◆ Mi scusi, sa dov'è il _teatro_ San Carlo?
● Sì, è in _centro_ .
◆ Mi può dire l'indirizzo _esatto_ ?

● Andate sempre _dritto_ fino al semaforo. E poi all'incrocio girate a _sinistra_
◆ Grazie _mille_ e buona serata.

Lavora con un compagno. Completate il dialogo con le parole della lista. Poi ripetete il dialogo.

3. Comprensione orale

1. Paola prende...
   - a. un cappuccino.
   - b. un caffè.
2. Cosa c'è questa settimana?
   - a. Un festival.
   - b. C'è una sagra.
3. È lontano a piedi?
   - a. Sì, è molto lontano.
   - b. No, è vicino.

(CD) 31 Ascolta e seleziona l'opzione corretta.

4. Domande e risposte

1. Dov'è il cinema?
2. È lontano a piedi?
3. Prendiamo la prima a destra?
4. È vicino a piazza Roma?
5. E lì giriamo a destra?

   - a. Sì, molto vicino.
   - b. No, è vicino.
   - c. No, a sinistra.
   - d. È in piazza Garibaldi.
   - e. No, la seconda.

Lavora con un compagno. Abbinate le domande alle risposte.

5. Parlare

◆ Salve, posso farLe una domanda?
● Certo, mi dica.
◆ Sa dov'è...?
● Sì...

Lavora con un compagno. Uno di voi chiede indicazioni stradali. L'altro dà le indicazioni. Seguite il modello e improvvisate un breve dialogo. Poi invertite i ruoli e ricominciate.

5c La colazione italiana

Leggi il testo sulla colazione tradizionale italiana e fai il test.

Vocabolario

tè ♂ · tè freddo · biscotti

burro · marmellata

pane ♂

brioche ♀ = cornetto · formaggio

bere · mangiare

salumi · spremuta

frutta · uova

zuppa · torta

Colazione italiana

Tradizionalmente la colazione italiana comprende: una bevanda calda (caffè, latte, tè) e qualcosa di dolce (biscotti, pane burro e marmellata, brioche).

E tu cosa mangi e bevi a colazione?
Fai il test e confronta i tuoi risultati con quelli dei tuoi compagni!

yogurt ☑	cereali ☐	formaggio ☐
salumi ☐	spremuta ☐	frutta ☐
caffè ☑	cappuccino ☐	brioche ☐
tè ☐	biscotti ☐	pane, burro e marmellata ☐
uova ☐	zuppa ☐	torta ☐

altro _____

1. Prodotti da bar

Abbina le parti di destra e di sinistra e forma gruppi di parole coerenti.

1. cioccolata   a. macchiato
2. tè   b. calda
3. vino   c. calda
4. caffè   d. rosso
5. bevanda   e. freddo

2. Dal singolare al plurale

Per ogni frase trasforma i nomi e i verbi al plurale come nell'esempio (*io* diventa *noi*, *tu* diventa *voi*, *lui/lei* diventa *loro*). Attenzione: alcuni nomi (come *caffè*) non cambiano al plurale!

Noi ordiniamo due caffè.

Noi mangiamo due yogurt
Noi compriamo due torta
Voi ordinate due cappucino

1. Io ordino un caffè.
2. Lui mangia uno yogurt.
3. Io compro una torta.
4. Tu ordini un cappuccino.
5. Tu mangi una brioche. ✓
6. Lei ordina un tè. *Loro ordinano due*
Voi mangiate due brioche

3. Aggettivi

Completa gli aggettivi delle frasi con la vocale giusta.

1. Che freddo! Vorrei una zuppa cald*a*!
2. Ti piacciono i vini italian*i*?
3. Questa è la tipic*a* colazione italian*a*.
4. In questo bar i panini sono davvero buon*i*!
5. Oggi devo comprare due grand*i* torte.
6. Questo ristorante ha una buon*a* lista di vini ross*i*.

4. Verbi

Completa il testo con i verbi della lista.

mangiamo – piace – beviamo – piace – c'è – è

A casa mia la colazione _____ **è** _____ molto leggera.
(Noi) __**beviamo**__ del tè e __**mangiamo**__ della frutta. Ci __**piace**__ anche bere una spremuta fresca.
Non ci __**piace**__ il tipico espresso italiano! Sulla nostra tavola __**c'è**__ sempre un po' di yogurt magro.

5. La forma giusta

Completa le frasi con la forma corretta del verbo *piacere*.

mi piace - mi piacciono

1. __Mi piace__ lo yogurt.
2. __Mi piacciono__ i salumi.
3. Non __mi piace__ la frutta.
4. __Mi piacciono__ i biscotti.
5. Non __mi piace__ il formaggio.
6. __Mi piace__ la spremuta.

5 Cultura e civiltà

Il caffè: un patrimonio nazionale!

Leggi il testo e prova, nella tabella, ad abbinare il tipo di bevanda alla definizione, come nell'esempio.

In Italia il caffè è un'istituzione!
Il tipico caffè è l'*espresso* (spesso chiamato semplicemente *caffè*): la mattina gli italiani lo preparano a casa, in generale con la moka (vedi foto a destra). Alcuni lo bevono al bar, in piedi e rapidamente, prima di andare al lavoro. Al bar è possibile ordinare molti altri prodotti, come il famoso *cappuccino*, il *caffellatte* (cappuccino servito in un bicchiere di vetro), e una serie di varianti del caffè:

1. caffè macchiato
2. latte macchiato
3. caffè freddo
4. caffè americano
5. caffè decaffeinato

a. bicchiere di latte caldo con un po' di caffè
b. caffè con molta acqua, servito in una tazza grande
c. caffè senza caffeina
d. caffè con un po' di latte (freddo o caldo)
e. caffè conservato in frigorifero e servito in estate

Qualche parola in più

Muoversi in città

tornare indietro

incrocio

Al bar

birra

cioccolata calda

tazza

tazzina

Al ristorante 6

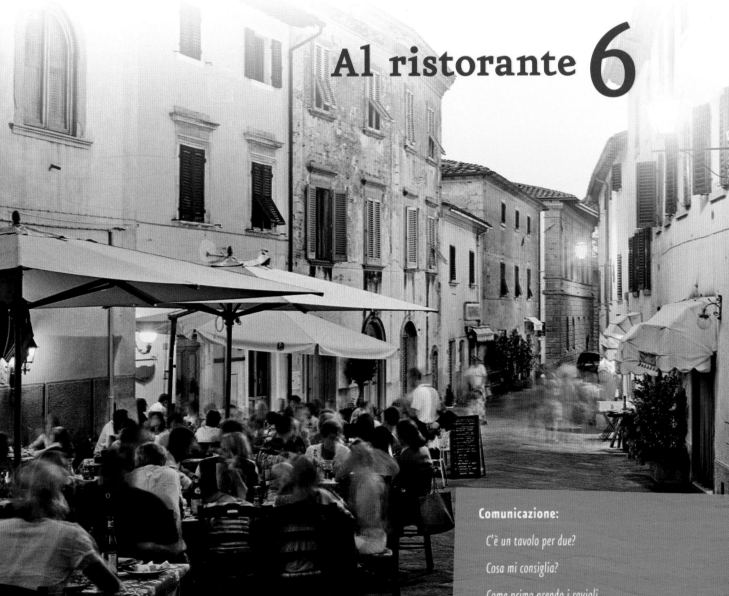

Comunicazione:

C'è un tavolo per due?

Cosa mi consiglia?

Come primo prendo i ravioli.

Ci può portare il conto?

Posso pagare con la carta di credito/in contanti?

Grammatica:

- condizionale presente: *vorrei, vorresti, vorrebbe, vorremmo, vorreste, vorrebbero*
- partitivo: *del pane, della carne*
- superlativo assoluto: *bellissimo, buonissimo, grandissimo*
- presente di pagare: *pago, paghi, paga, paghiamo, pagate, pagano*
- articoli determinativi (tutte le forme)
- preposizioni articolate plurali: *nei/negli/nelle, dei/degli/delle*

Specialità italiane

La cucina in Italia è molto varia: ogni regione italiana ha le sue specialità gastronomiche. Quali di queste ricette conosci? Qual è la tua preferita? Rispondi alle domande, poi confrontati con i tuoi compagni.

	Conosco:	Mi piace/mi piacciono:
1. la pizza	☑	☑
2. gli gnocchi al pesto	☑	☑
3. il tiramisù	☑	☑
4. gli spaghetti alla carbonara	☑	☑
5. il cannolo siciliano	☐	☐
6. il risotto alla milanese	☑	☑
7. la bruschetta	☑	☑
8. le lasagne	☑	☑

altro: _____

6a   Vorremmo un piatto tipico.

(CD) 32 Ascolta il dialogo.

Vocabolario

menù

carne

vino della casa = vino economico

mezzo litro = 0,5 litri

Fonetica

g	+	h	= [g]	spaghetti

- ● Buonasera, c'è un tavolo libero per due?
- ♦ Certo, va bene qui?
- ● Sì, va benissimo, grazie.
- …
- ♦ Ecco il menù.
- ● Grazie, vorremmo un piatto tipico. Lei, cosa ci consiglia?
- ♦ Di primo abbiamo degli spaghetti alla norcina buonissimi oppure dei ravioli alla ricotta…

- ■ C'è della carne negli spaghetti alla norcina?
- ♦ Sì, signora.
- ■ Allora prendo i ravioli.
- ● Per me invece gli spaghetti alla norcina.
- ♦ Bene. Prendete anche un secondo?
- ● No, grazie, solo un primo. E da bere del vino rosso della casa.
- ♦ Un quarto?
- ● No, meglio mezzo litro.

≫ Comunicazione

- • **Chiedere un tavolo al ristorante**
  C'è un tavolo (libero) per due? = Ha/Avete un tavolo per due?

- • **Chiedere consiglio**

  formale: ■ Che cosa mi consiglia?   ● Le consiglio gli spaghetti alla norcina.

  informale: ■ Che cosa mi consigli?   ● Ti consiglio gli spaghetti alla norcina.

- • **Ordinare al ristorante**

  Come/Di primo
  secondo
  contorno — prendo…
  dolce

≫ Grammatica

Condizionale: (volere)

io	vorrei
tu	vorresti
lui/lei	vorrebbe
noi	vorremmo
voi	vorreste
loro	vorrebbero

Partitivo con *di* (= un po' *di*)

maschile singolare
Vorrei del pane.
femminile singolare
C'è della carne negli spaghetti?

Superlativo assoluto

bello buono grande	+ issimo	bellissimo (= molto bello) buonissimo (= molto buono) grandissimo (= molto grande)

Esempi: Queste lasagne sono **buonissime**!
Non mi piacciono i ristoranti **grandissimi**.

1. Comprensione e pronuncia

1. Ha un tavolo libero per tre?
2. Può portare il menù?
3. Che cosa ci consiglia?
4. La nostra specialità sono le tagliatelle al pesto.
5. Vorrei gli spaghetti alla carbonara.
6. E da bere mezzo litro del rosso della casa.

(CD) 33 Ascolta le frasi e ripeti.

2. La risposta giusta

1. Volete ordinare?
   a. No, sono vegetariano.
   b. Sì, grazie.
2. Che vino ci consiglia?
   a. Il rosso della casa.
   b. Bene.
3. Va bene un quarto?
   a. No, meglio mezzo litro.
   b. No, grazie, prendo solo un primo.

Seleziona l'opzione corretta. Poi ripeti i minidialoghi insieme a un compagno.

3. Chiedere e dare consigli

♦ *Cosa mi consiglia* **come antipasto?** ■ *Le consiglio* **la bruschetta.**

1. come antipasto
2. da bere
3. come primo
4. come secondo
5. come pizza

a. il pollo con le patate
b. la margherita
c. i ravioli
d. la bruschetta
e. il bianco della casa

Lavora con un compagno. Uno studente è un cliente, l'altro un cameriere in un ristorante. Il cliente chiede consiglio su cosa mangiare. Il cameriere seleziona un piatto e risponde come nell'esempio. Invertite i ruoli dopo ogni scambio.

4. Domande e risposte

1. Che cosa prende?
2. Mi può portare il menù?
3. Avete secondi per vegetariani?
4. Avete un tavolo per sei?
5. Per primo cosa prendete?

a. Sì, vicino alla finestra. Prego!
b. Solo un primo, grazie.
c. Niente, preferiamo prendere un secondo.
d. Certo, subito!
e. No, mi dispiace.

Abbina le domande alle risposte appropriate.

5. Parlare

● Buonasera, c'è un tavolo libero per...?
♦ Va bene qui?
● Sì, grazie. Ci può portare il menù?
♦ Certo.
● Da mangiare vorremmo... e da bere...

Lavora con un compagno. Improvvisate un dialogo. Uno studente è un cliente, l'altro un cameriere. Il cliente arriva al ristorante, chiede il menù e ordina da mangiare e da bere. Il cameriere risponde alle sue domande.

6b Come sono gli spaghetti?

Vocabolario

pane

pesante ↔ leggero

ottimo = buonissimo

pagare

conto

```
Ristorante
"Morlani"

carbonara
due porzioni

tiramisù
una porzione

vino rosso
mezzo litro

Totale 28 €
```

Fonetica

| gu | + | a, e, i, o | = [gw] | ling<u>u</u>ine |

● Ecco qui, spaghetti alla norcina e linguine alla romana!

♦ Scusi, ma non è quello che ho ordinato…

● Ha ragione! Provvedo subito.

♦ Grazie. E ci può portare anche un po' di pane, per favore?

● Certo.

…

♦ Allora, come sono gli spaghetti?

■ Mh, buoni, ma un po' pesanti. E i ravioli?

♦ Sono ottimi, davvero speciali! Anche il ristorante mi piace, è tranquillo, tradizionale…

■ Sì, sì. Senti, vuoi ancora un dolce, un caffè?

♦ No, grazie, va bene così.

■ Allora paghiamo?

♦ Ma sì.

■ Scusi! Il conto, per favore…

›› Comunicazione

- **Dare ragione**

  Ha/Hai ragione! = È vero!

- **Fare una richiesta**

  Ci può portare un pò di/del pane, per favore?

- **Chiedere il conto**

  Ci può portare il conto, per favore? = Il conto, per favore!

›› Grammatica

Presente dei verbi regolari

	pagare
io	pago
tu	paghi
lui/lei	paga
noi	paghiamo
voi	pagate
loro	pagano

Articoli determinativi singolari e plurali

maschile	
il vino	**i** vini
l'olio	**gli** olii
lo yogurt	**gli** yogurt
femminile	
la torta	**le** torte
l'arancia	**le** arance

Preposizioni articolate plurali: *di* e *in*

	i	**gli**	**le**
di	dei	degli	delle
in	nei	negli	nelle

1. Comprensione e pronuncia

1. Ecco gli spaghetti al pesto!
2. Può portare del pane, per favore?
3. Come sono i ravioli?
4. Ci può portare una bottiglia d'acqua gasata?
5. Sì, certo, vengo subito.
6. Scusi! Il conto, per favore.

CD 35 Ascolta le frasi e ripeti.

2. Articoli determinativi

1. le   a. spaghetti
2. la   b. tiramisù
3. gli   c. lasagne
4. lo   d. tortellini
5. i   e. pasta
6. il   f. yogurt

Abbina gli articoli ai nomi. Poi confrontati con un compagno.

3. Comprensione orale

1. Aldo vuole un tavolo per…
     a. una persona.
     b. due persone.

3. Aldo è vegetariano?
     a. Sì, è vegetariano.
     b. No, non è vegetariano.

2. Cosa vuole come primo?
     a. Gli spaghetti al pesto.
     b. Le fettuccine al ragù.

4. E da bere?
     a. Un vino bianco.
     b. Un vino rosso.

CD 36 Ascolta e seleziona l'opzione corretta.

4. Superlativi

In questo ristorante… il tiramisù è molto buono → buonissimo!

1. tiramisù – **molto buono**
2. carbonara – **molto buona**
3. linguine – **molto buone**
4. secondi – **molto cari**
5. tavoli – **molto piccoli**
6. camerieri – **molto gentili**

Forma delle frasi sostituendo le parti **evidenziate** con un superlativo, come nell'esempio. Attenzione: devi anche aggiungere l'articolo e la forma corretta del verbo *essere*.

5. Parlare

● Ecco qui, spaghetti alla bolognese!
◆ Scusi, ma c'è un errore. Io voglio… !
● …

Lavora con un compagno. Improvvisate un dialogo. Uno studente è un cliente, l'altro un cameriere. Il cameriere serve il cliente, ma c'è un problema. Seguite il modello e continuate usando la vostra immaginazione.

Vocabolario

patate

sale

ciotola

fuoco

pentola

mescolare

piatto

Leggi la ricetta e scopri come preparare un tipico piatto italiano: gli gnocchi al pesto! Poi rispondi alle domande sotto e completa la ricetta.

Ricette

Gnocchi al pesto

Dosi per: 1. _____ persone

Tempo: 2. _____

Difficoltà: 3. _____

Ingredienti:
gnocchi di patate (800 g), pesto, sale, pecorino, pinoli

Preparazione
Mettere in una ciotola circa 100 g di pesto.
Mettere sul fuoco una pentola con molta acqua, portare a ebollizione, aggiungere il sale e versare gli gnocchi nella pentola.
Quando gli gnocchi salgono in superficie, tirarli fuori e metterli nella ciotola insieme al pesto.
Mescolare bene, mettere gli gnocchi nei piatti e infine aggiungere il pecorino e i pinoli.

fire

boiling

pour

Secondo te:

1. per quante persone è questa ricetta?

2. quanto tempo è necessario per preparare gli gnocchi al pesto?

3. è una ricetta (molto) facile o (molto) difficile?

1. Preposizioni

1. mettere ~~sui~~/sul fuoco una pentola con molta acqua
2. mettere gli gnocchi ~~nei~~/nella ciotola
3. mettere i piatti sul/~~sulla~~ tavolo
4. mettere gli gnocchi nei/~~negli~~ piatti
5. mettere gli gnocchi nelle/~~nei~~ pentola

Leggi le istruzioni per preparare una ricetta e seleziona l'opzione corretta.

....

2. Vero o falso?

1. Per la ricetta è necessario usare 10 g di pesto.
2. Per preparare la ricetta è necessaria molta acqua.
3. Per questa ricetta non è necessario usare sale.
4. Bisogna mescolare gli gnocchi e il pesto nella pentola.

V F
V F
V F
V F

Rileggi la ricetta a pagina 62 e indica con una "X" se le informazioni sono vere o false.

....

3. Azioni in cucina

1. sbucciare ✓   2. cuocere ✗   3. versare ✓
4. tagliare ✓   5. sbattere ✗   6. lavare ✓

bake/roast/boil
beat/pound

Ecco alcune azioni frequenti in cucina. Abbina le immagini ai verbi. Se vuoi puoi usare il dizionario o chiedere aiuto all'insegnante.

....

4. Scrivere

La mia ricetta _____

Numero di persone: _____
Tempo: _____
Difficoltà: _____
Ingredienti: _____
_____
_____
Preparazione: _____
_____
_____
_____

Pensa a una specialità che ti piace molto o è molto famosa nel tuo paese.
Scrivi la ricetta, poi mostrala ai tuoi compagni e guarda le loro ricette: insieme potete organizzare una festa gastronomica!

6 Cultura e civiltà

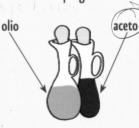

1

2

3

4

Dove mangiano gli italiani

Leggi il testo, poi abbina i locali alle fotografie.

Gli italiani amano mangiare fuori casa, soprattutto a cena. Oltre al ristorante esistono molti altri locali dove è possibile pranzare, cenare o fare uno spuntino a prezzi economici:

a. la gelateria (l'Italia è famosa per il suo ottimo gelato) ☐

b. la rosticceria (locale economico che vende cibo caldo, già pronto) ☐

c. la trattoria (o osteria: è come il ristorante, ma meno elegante e più economico) ☐

d. la pizzeria (tempio della specialità italiana celebre in tutto il mondo!) ☐

Qualche parola in più

Al ristorante

pesce

forchetta   coltello
← cucchiaio
← cucchiaino

acqua naturale ↔ acqua gasata

olio   aceto

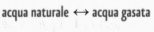

bottiglia

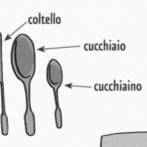

Posso pagare con la carta di credito?

Posso pagare in contanti?

Rimanere in contatto 7

Comunicazione:

La webcam non funziona.

Come faccio a collegare la fotocamera e il computer?

Che peccato!

È scritto qui, vede?

Grammatica:

- la congiunzione *anche*
- pronomi e verbi servili: *Ci può aiutare?/Può aiutarci?*
- *niente* (pronome e avverbio)
- avverbi di tempo: *adesso, domani, dopo, ieri, immediatamente, oggi, ora, subito, poi, prima*

Indirizzi elettronici

Ecco alcuni simboli frequenti nella comunicazione digitale. Abbinali al loro nome in italiano.

Attenzione: due simboli si trovano nella Lezione 3, li ricordi?

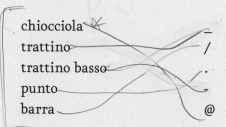

chiocciola   –

trattino   /

trattino basso   .

punto   _

barra   @

Ora detta a un compagno il tuo indirizzo di posta elettronica (e-mail), o l'indirizzo del tuo blog o sito web.

7a Vorrei usare Internet.

CD 37 Ascolta il dialogo.

Vocabolario

macchina fotografica (o fotocamera)

chiave USB (o chiavetta)

cavo

stampante (→ stampare)

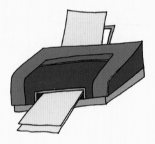

stampare a colori ▨▨▨
stampare in bianco e nero ▨☐

dieci centesimi = 0,10 euro

♦ Buongiorno, vorrei usare Internet.
● Può usare il computer numero cinque.
♦ Grazie. Posso anche utilizzare Skype™?
● Certo, non c'è problema. È già installato.
...
♦ Mi scusi, ma la webcam non funziona. Mi può aiutare?
● Vengo subito... Ecco fatto!
♦ Grazie. Ancora una domanda. Come faccio a collegare la mia macchina fotografica con il computer?
● Eh, deve avere un cavo.
♦ Ah, è vero. Allora niente, peccato! E quanto costa stampare?
● Dieci centesimi per pagina...

» Comunicazione

- **Indicare problemi tecnici**
  La webcam non funziona.

- **Chiedere assistenza**
  Come faccio a collegare la fotocamera e il computer? =
  Come posso collegare la fotocamera e il computer?

- **Esprimere dispiacere**
  (Che) Peccato!

» Grammatica

La posizione di *anche*

Vorrei usare: Internet + la stampante.

Vorrei usare Internet...	
Vorrei usare **anche** la stampante.	Vorrei **anche** usare la stampante.

I pronomi diretti con *dovere, potere* e *volere* + infinito

Mi devi aiutare = Devi aiutar**mi**.
Ci può aiutare? = Può aiutar**ci**?
Ti voglio aiutare. = Voglio aiutar**ti**.

'ALMA.tv ▶
Vai su www.alma.tv e scopri i video interessanti e divertenti della sezione *Grammatica caffè!*

1. Comprensione e pronuncia

1. Vorremmo usare Internet.
2. Può usare il computer numero due.
3. Skype™ è già installato, vero?
4. Scusi, ma la connessione è lenta.
5. Deve avere un cavo.
6. È possibile stampare a colori?

CD 38 Ascolta le frasi e ripeti.

2. Dialogo disordinato

3 Posso anche utilizzare Messenger™?

5 Mi scusi, ma Messenger™ non funziona.

1 Vorrei usare Internet.

6 Vengo subito.

4 Sì, sì, è già installato.

2 Va bene, può usare questo computer.

Ordina le frasi e forma un dialogo logico. Poi ripeti il dialogo insieme a un compagno.

3. Frasi da ricomporre

1. Buongiorno, è possibile
2. Può usare il computer 2,
3. Scusi, mi può
4. Come faccio
5. Salve, questo computer

a. è libero?
b. a collegare la fotocamera al computer?
c. ma non c'è Skype™.
d. aiutare con la webcam?
e. stampare a colori?

Abbina le parole della prima e della seconda colonna e forma delle frasi logiche.

4. Parole in disordine

1. a | costa | colori? | Quanto | stampare — *Quanto costa stampare a colori?*
2. costa | centesimi | dieci | pagina. | Stampare | per — *Stampare costa centesimi per dieci pagina.*
3. non | aiutarmi? | Il | funziona, | può | computer — *Il computer non funziona, può aiutarmi?*
4. Per | la | deve | cavo. | fotocamera | avere | collegare | un — *Per la fotocamera deve avere un cavo. collegare*

Ordina le parole e forma delle frasi logiche.

5. Parlare

◆ Buongiorno, vorrei utilizzare Internet.
● Può usare il computer numero…
◆ Grazie. Posso utilizzare…?
● Sì, è già installato.
◆ Ma… non funziona.
● Vengo subito…

Lavora con un compagno. Improvvisate un dialogo seguendo il modello. Uno studente è un cliente, l'altro lavora in un Internet Point. Il cliente fa delle richieste e segnala dei problemi.

7b   Vorrei comprare una scheda SIM.

Vocabolario

scheda SIM

Charge

chiamare = telefonare

↓   ↓

chiamata   telefonata

aspettare

canone = costo

messaggio = SMS

ricarica = credito
fare una ricarica da 10 euro = comprare
10 euro di telefonate

digitare

codice ♂ = password ♀

facile   ↔   difficile

♦ Buongiorno, vorrei comprare una scheda SIM. Quanto costa?

● 15 euro, inclusi 5 euro di chiamate. Per l'attivazione deve aspettare un'ora, Le arriva un sms quando può usare il telefono.

♦ E c'è un canone fisso?

recharge/top up

● No, no, niente canone. Le telefonate costano 10 centesimi al minuto – e anche un messaggio 10 centesimi.

♦ Ok, allora compro subito anche una ricarica da 10 euro.

● Ecco a Lei.

♦ Grazie. Senta, poi che numero devo chiamare per la ricarica?

● Deve fare il 2011 (due zero uno uno). È scritto qui, vede? E poi deve digitare questo codice.

♦ Ah va bene, è facile…

» Comunicazione

• **Dare istruzioni: *dovere***
Deve aspettare un'ora.   **Deve** digitare questo codice.

• **Chiedere conferma**
È scritto qui, **vede?**

» Grammatica

Niente
Non voglio comprare **niente**.
Niente canone. = Non c'è il canone.

Avverbi di tempo

adesso/ora	Now
domani	tomorrow
dopo/poi	later
ieri	yesterday
immediatamente/subito	immediately
oggi	today
prima	first

1. Comprensione e pronuncia

1. Vorrei comprare una scheda SIM.
2. Costa 20 euro, inclusi 5 euro di chiamate.
3. Le telefonate costano 10 centesimi al minuto.
4. Ok, compro anche una ricarica da 15 euro.

CD 40 Ascolta le frasi e ripeti.

2. Domande da ricomporre

1. Quanto costa...
2. Qual è il...
3. Quanto costano...
4. Che numero devo...
5. Poi devo digitare...
6. Che devo fare per...

a. le telefonate?
b. chiamare per la ricarica?
c. questo codice, vero?
d. una scheda SIM?
e. chiamare in Austria?
f. numero dell'assistenza?

Abbina le parole della prima e della seconda colonna e forma delle domande logiche. Poi confrontati con un compagno.

3. Comprensione orale

1. Paola vuole comprare...
   a. una scheda SIM.
   b. un cellulare.

2. C'è un canone fisso?
   a. Sì, c'è un canone fisso.
   b. No, paga al minuto.

3. E quanto costa un sms?
   a. Costa 10 centesimi.
   b. Costa 5 centesimi.

CD 41 Ascolta e seleziona l'opzione corretta.

4. Gruppi di parole

1. fare
2. digitare
3. collegare
4. stampare
5. chiamare

a. in bianco e nero
b. un amico
c. una telefonata
d. un codice
e. computer e stampante

Abbina le parole della prima e della seconda colonna e forma gruppi di parole coerenti.

5. Parlare

♦ Quanto costa una scheda SIM?
● ... euro, inclusi...
♦ E quanto costa chiamare in Brasile/India/... ?

● Costa... centesimi.
♦ Ah, va bene, grazie.

Lavora con un compagno. Improvvisate un dialogo seguendo il modello. Uno studente è un cliente, l'altro lavora in un negozio che vende prodotti di telefonia. Il cliente chiede informazioni sui costi e il commesso risponde.

Vocabolario

emoticon = smiley = faccina

giovane   ↔   anziano

Attenzione!

Per le cose si usa l'aggettivo vecchio:
Questa macchina è **vecchia**, ha 20 anni!

adulto = persona che ha più di 30 anni

stupito = sorpreso

% = per cento

Leggi l'articolo sull'uso degli emoticon, poi rispondi alla domanda sotto.

Fenomeno em👀ticon

È ormai molto comune l'uso degli emoticon nelle mail, negli sms o sui social network, tra i giovani ma anche tra gli adulti. Tra gli adulti la faccina felice è la più utilizzata: il 15,1% delle persone di più di 45 anni la usa frequentemente. Ha molto successo tra i giovani la faccina stupita: il 57,9% dei ragazzi tra i 16 e i 24 anni la usa abitualmente.

Ecco alcune delle principali faccine utilizzate nella comunicazione istantanea:

 sono triste

 sono contento/felice

 molto divertente!

 incredibile!

 ti bacio

 sono stanco

 mi piace

 sono arrabbiato

Tu usi gli emoticon quando mandi un messaggio, o preferisci scrivere solo frasi complete? Motiva la tua risposta e parlane con un compagno.

'ALMA.tv

Hai 30 secondi liberi?
Vai su www.alma.tv ed entra nella sezione *Linguaquiz*. Impara giocando!

1. Vero o falso?

1. Solo i giovani usano gli emoticon.
2. Gli adulti usano molto l'emoticon felice.
3. I giovani non usano mai l'emoticon sorpreso.
4. Gli emoticon sono diffusi sui social network.
5. Ci sono molti tipi di faccine.

V (F)
(V) F
V (F)
V (F)
(V) F

Rileggi l'articolo a pagina 70 e indica con una "X" se le informazioni sono vere o false.

2. Sinonimi

1. giovane
2. stupito
3. usare
4. emoticon
5. contento

a. utilizzare
b. ragazzo
c. faccina
d. felice
e. sorpreso

Abbina le parole della colonna di sinistra ai loro sinonimi nella colonna di destra.

3. Preposizioni

nella – nel – sui – negli – con

1. È comune l'uso degli emoticon __negli__ SMS o __sui__ social network.
2. Gli emoticon sono molto diffusi __nella__ comunicazione istantanea.
3. Secondo te è facile esprimere un'idea __con__ una faccina?
4. Skype™ è installato __nel__ tuo computer?

Completa le frasi con le preposizioni della lista.

4. Emoticon

Ciao Stefano, stasera ci vediamo alla festa?

Ciao Patrizia! Vieni anche tu? **Ottimo** [ ]!

Sì, oggi pomeriggio studio (**nooooo** [ ]) e poi vengo!

Perfetto [ ]!

È la festa dell'anno, devo venire!

Ah ah ah [ ], giusto! Allora a domani, **un bacio grande** [ ]!

Leggi la chat tra Stefano e Patrizia e sostituisci le espressioni **evidenziate** con degli smiley. Puoi usare quelli di pagina 70, o altri.

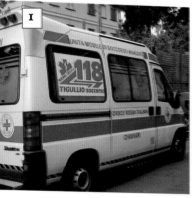

Numeri utili

Leggi il testo, poi abbina i numeri telefonici alle fotografie.

Per chiamare un numero (a eccezione dei numeri per le emergenze) bisogna comporre prima il prefisso locale, per esempio: prefisso di Roma 06 (Napoli 081, Milano 02, ecc.)

Il prefisso internazionale dell'Italia è 0039.

Le ricariche telefoniche si comprano nei tabaccai (negozi che vendono tabacco, francobolli e altro), on line sui siti dei diversi operatori, o via bancomat.

In Italia esistono diversi numeri per le emergenze:

- pubblica sicurezza: - assistenza tecnica: - soccorso sanitario:
112 Carabinieri ☐ 2   115 Vigili del fuoco ☐ 3   118 ambulanza ☐ 1
113 Polizia di Stato ☐ 4

Qualche parola in più

Il computer

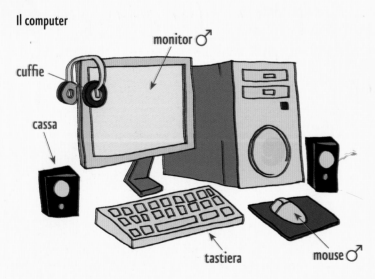

cuffie

cassa

monitor ♂

tastiera

mouse ♂

connessione
veloce   lenta

In banca e alla posta 8

a. bancomat

b. carta di credito

c. sportello

d. pacco

e. cassetta delle lettere

f. busta

g. soldi

POSTE

PER LA CITTÀ

Comunicazione:

Il bancomat non mi ridà la carta!

Che devo fare per riavere la mia carta?

Come faccio senza soldi?

◊ Quant'è?

□ Sono sei euro e cinquanta.

Come, scusi? Non ho capito.

Grammatica:

- condizionale presente: *dovrei* e *potrei*
- possessivi: tutte le forme
- preposizioni con *andare: a casa, al ristorante, alla posta, in banca*
- passato prossimo dei verbi con *avere: ho digitato, ho potuto, ho capito*
- participi passati regolari

Servizi e prodotti bancari e postali

Nelle foto ci sono prodotti che trovi in banca o alla posta.
Completa le foto con le due parole qui sotto.

soldi – carta di credito

8a Che devo fare per riavere la mia carta?

Vocabolario

inserire la carta

ritirare la carta

premere "invio"

giusto = corretto
↕
sbagliato = scorretto

soldi

Inserire la carta... Digitare il codice e premere "invio"...
Problema di collegamento per intervento operatore esterno...
Inserire la carta.
♦ Eh?
Inserire la carta.
♦ Ma è già inserita... Ehi, la mia carta!
Inserire la carta.
...
● Buongiorno, mi dica.
♦ Il bancomat si è bloccato e non mi ridà la carta!
● Forse ha digitato il codice sbagliato...
♦ No, no, il codice è giusto! Sono sicura. Che devo fare per riavere la mia carta?
● Non si preoccupi, fra qualche giorno la spediamo alla Sua banca.
♦ Cosa? Fra qualche giorno? Non la potrei riavere subito? Dovrei pagare una cosa in contanti, e poi come faccio senza soldi?
● Mah, allora la Sua banca dovrebbe mandare un fax con l'autorizzazione. Purtroppo è così. Sono le nostre regole...
♦ Ok. Qual è il vostro numero di fax?

❯❯ Comunicazione

• Descrivere un problema tecnico Il bancomat non mi ridà la carta!	**• Chiedere istruzioni** Che devo fare per riavere la mia carta?
• Protestare Come faccio senza soldi?	

❯❯ Grammatica

Condizionale dei verbi *dovere* e *potere*

io	dovrei	potrei
tu	dovresti	potresti
lui/lei	dovrebbe	potrebbe
noi	dovremmo	potremmo
voi	dovreste	potreste
loro	dovrebbero	potrebbero

Possessivi (tutte le forme)

	maschile	femminile
singolare	il mio il tuo il suo ⎤ il nostro ⎦ pacco il vostro il loro	la mia la tua la sua ⎤ la nostra ⎦ busta la vostra la loro
	maschile	**femminile**
plurale	i miei i tuoi i suoi ⎤ i nostri ⎦ soldi i vostri i loro	le mie le tue le sue ⎤ le nostre ⎦ carte le vostre le loro

1. Comprensione e pronuncia

1. Buongiorno signora, mi dica.
2. Ho un problema con il bancomat.
3. Il bancomat non mi ridà la carta!
4. Forse ha digitato il codice sbagliato.
5. Cosa faccio adesso senza soldi?
6. Non si preoccupi, spediamo la carta alla Sua banca.

CD 43 Ascolta le frasi e ripeti.

2. Verbi

è – preoccupi – pagare – bloccato – sono – dovrebbe

1. Dovrei _pagare_ l'albergo.
2. Lei _dovrebbe_ mandare un fax.
3. Il codice _è_ giusto!
4. _Sono_ sicura.
5. Non si _preoccupi_!
6. Il bancomat si è _bloccato_.

Completa le frasi con i verbi della lista.

3. Possessivi

1. la nostra
2. i vostri
3. le tue
4. il loro
5. i suoi
6. il nostro

a. carte di credito
b. codice
c. banca
d. soldi
e. numero di telefono
f. pacchi

Abbina i possessivi ai nomi. Attenzione: sono possibili diverse soluzioni.

4. La risposta giusta

1. Il bancomat non mi ridà la carta!
   a. Ah... Forse non funziona.
   b. Mi dica.
2. Che devo fare per riavere la mia carta?
   a. La banca è qui vicino.
   b. Tra qualche giorno la spediamo alla Sua banca.
3. Come faccio senza carta?
   a. Può pagare in contanti, no?
   b. Deve premere "invio".
4. Deve mandare un fax.
   a. No, il codice è giusto!
   b. Ok. Qual è il vostro numero?

Seleziona l'opzione corretta. Poi ripeti i minidialoghi insieme a un compagno.

5. Parlare

● ... mi dica...
◆ ... problema... il bancomat non funziona...
● ... codice sbagliato...
◆ ... codice giusto... che devo fare...
● ... mandare fax...

Lavora con un compagno. Improvvisate un dialogo in una banca. Uno studente è un impiegato, l'altro un turista. Utilizzate le parole e le frasi del modello.

8b Vorrei spedire un pacco.

Vocabolario

cartolina   francobollo

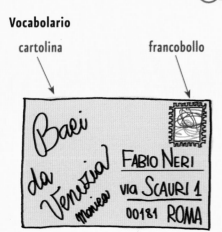

giornale

ufficio postale = posta

dietro l'angolo

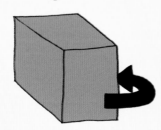

◆ Salve, prendo questa cartolina e un francobollo. E questo giornale, per favore.

● Sono sei euro e cinquanta.

◆ Ah, devo anche spedire un pacco. Come posso fare?

● Per i pacchi deve andare alla posta, l'ufficio postale è qui vicino, proprio dietro l'angolo.

◆ Ok, grazie mille. Arrivederci.

...

■ Il prossimo, prego!

◆ Buongiorno, devo spedire questo pacco in Giappone.

■ Posta ordinaria o posta celere?

◆ Come, scusi? Non ho capito.

■ Lo vuole spedire con la posta normale o veloce?

◆ Ah, sì. Normale va benissimo, grazie.

■ Allora sono sette euro.

» Comunicazione

- **Chiedere e indicare quanto bisogna pagare**
  ■ Quant'è?   ● Sono sei euro e cinquanta.

  Attenzione: un euro → due euro

- **Esprimere incomprensione**
  Come, scusi? Non ho capito.

» Grammatica

Preposizioni con *andare*

	a	a + articolo	in
vado...	a casa	al bar al ristorante alla posta al supermercato alla stazione	in banca in discoteca in farmacia in pizzeria in stazione in ufficio

Passato prossimo con *avere*

ausiliare	participio passato
Ho Hai Ha Abbiamo Avete Hanno	capito.

Participi passati regolari: formazione

digit**are** → digit**ato**	pot**ere** → pot**uto**	cap**ire** → cap**ito**

Esercizi **8** b

1. Comprensione e pronuncia

1. Prendo questa cartolina.
2. Ho anche bisogno di francobolli.
3. Vorrei spedire questo pacco in Austria.
4. Con la posta normale o più veloce?
5. Normale va benissimo, grazie.
6. Fa otto euro e cinquanta.

CD 45 Ascolta le frasi e ripeti.

2. Participio passato

1. dormire _____
2. digitare _____
3. preferire _____
4. sapere _____
5. lavorare _____
6. chiamare _____
7. cercare _____
8. dovere _____
9. avere _____
10. mangiare _____

Scrivi il participio passato dei verbi della lista.

3. Comprensione orale

1. Carla vuole spedire...
   - a. un pacco.
   - b. un pacchetto.
2. Celere o ordinario?
   - a. Celere.
   - b. Ordinario.
3. Ha anche bisogno di...
   - a. un fratello.
   - b. un francobollo.
4. Quanto paga?
   - a. € 9,70.
   - b. € 9,60.

CD 46 Ascolta e seleziona l'opzione corretta.
Attenzione: pacchetto = pacco piccolo

4. Verbi

comprato – premuto – inserito – spedito – pagato

1.
♦ Hai _____ il pacco?
● No, vado alla posta oggi.

2.
♦ Hai _____ i francobolli dal tabaccaio?
● No, alla posta.

3. Per spedire questo pacco ho _____ 10 euro.

4.
♦ Il bancomat non funziona!
● Hai _____ la carta?
Hai _____ "invio"?

Completa le frasi con i participi passati della lista.

5. Parlare

● Il prossimo, prego!
♦ Vorrei spedire... in...
● Celere o ordinario?
♦ ... Quant'è?
● Sono... euro.

Lavora con un compagno. Improvvisate un dialogo in un ufficio postale. Uno studente è un cliente, l'altro un impiegato. Utilizzate le parole e le frasi del modello.

8c Spedire pacchi all'estero

Vocabolario

all'estero = negli altri paesi

semplice = facile

economico/conveniente ↔ caro

mondo

Africa

America

Asia

Europa

Oceania

Attenzione: Nordamerica,
America centrale, Sudamerica

massimo ↔ minimo

chilo = kg

in tempi rapidi = rapidamente =
velocemente

**Leggi la brochure di Poste Italiane sulla spedizione di pacchi.
Poi rispondi alle domande sotto e confrontati con un compagno.**

SPEDIRE
PACCHI ALL'ESTERO

Che cosa vorresti fare?

**1. Spedire un pacco all'estero in
modo semplice ed economico e
controllare la spedizione on line**

Con "QuickPack Europe" (per spedire
i tuoi pacchi in Europa) ed "Express
Mail Service" (per il resto del mondo)
puoi inviare pacchi di massimo 30
chili ed essere informato sullo stato
della spedizione via Internet.

2. Spedire un pacco all'estero in tempi rapidi

Con "Pacco Celere Internazionale" è possibile spedire nel mondo
pacchi di massimo 30 chili.

3. Spedire un pacco all'estero in modo economico

Con Pacco Ordinario Estero è possibile spedire nel mondo pacchi
di massimo 20 chili.

Paccocelere Internazionale.
Il nuovo Corriere Espresso di Poste Italiane.

Arriva ovunque.
Anche a New York.

• Chiedi nel tuo Ufficio Postale.
• Raggiunge 190 paesi e 5 miliardi di persone.
• Veloce, sicuro, conveniente.

Posteitaliane

Posteitaliane

Sei in Italia e vuoi fare una spedizione.

1. Che tipo di servizio devi richiedere se vuoi spedire un pacco di 15
   chili in India?

2. E un pacco di 32 chili, sempre in India?

3. E se vuoi spedire un pacco di 18 chili in Perù e controllare dove si
   trova via Internet?

4. E se vuoi spedire un pacco di 7 chili in Grecia e sapere dove si trova
   via Internet?

1. Contrari

1. massimo   a. difficile
2. semplice   b. caro
3. economico   c. lento
4. rapido   d. minimo

Abbina le parole nella colonna sinistra al loro contrario nella colonna destra.

2. Vero o falso?

Presso "Poste Italiane" è possibile:

1. spedire un pacco di 60 chili in Messico.   V F
2. spedire un pacco di 60 chili in Svizzera.   V F
3. inviare un pacco ordinario all'estero
e controllare la spedizione via Internet.   V F
4. inviare un pacco di 15 chili in Senegal
e controllare la spedizione via Internet.   V F

Rileggi il testo a pagina 78 e indica con una "X" se le informazioni sono vere o false.

3. Trova l'errore

Oggi puoi spedire i tuo pacchi in Europa e nel resto del mondo e controllare lo stato della tue spedizione via Internet!

Nel testo accanto ci sono due errori di grammatica. Trovali e correggili. Poi confrontati con un compagno.

4. Gruppi di parole

semplice – rapidi – economico – all'estero

1. spedire un pacco in Italia o _____
2. spedire un pacco in tempi _____
3. spedire un pacco in modo _____ ed _____

Completa le frasi con le parole della lista.

5. Scrivere

paccocelere		
Posteitaliane — Mittente	Nome: _____	Contenuto: _____
	Indirizzo: _____	_____
	Città: _____	_____
		Peso: _____ kg
	CAP: _____	Costo: _____ €
Destinatario	Nome: _____	
	Indirizzo: _____	
	Città: _____	CAP: _____

Abiti in Italia e vuoi spedire un pacco a un amico o a un parente all'estero. Completa il modulo accanto con il tuoi dati personali (tu sei il *mittente*), i dati del tuo amico o parente (il *destinatario*) e la descrizione del contenuto del pacco. **Attenzione:** C.A.P. = *Codice di Avviamento Postale* (codice della città)

8 Cultura e civiltà

Negozi per ogni esigenza

Leggi il testo e abbina i negozi alle fotografie.

Conosci già il negozio che vende medicine (la farmacia) e sai dove comprare francobolli o tabacco (tabaccaio). Ma quali sono gli altri negozi utili? Eccone una lista: scrivi nell'ultima colonna il numero della foto corrispondente a ogni negozio.

nome del negozio	cosa vende	numero della foto
a. ferramenta	strumenti per fare bricolage o riparazioni	_____
b. panetteria/forno	pane e pizza	_____
c. fruttivendolo	frutta e verdura	_____
d. macelleria	carne	_____
d. libreria	libri	_____
e. alimentari	salumi, formaggi e altri prodotti da mangiare	_____

Qualche parola in più

Alla posta

lettera

In banca

libretto degli assegni

prelevare (soldi)

1. Menù incompleto

dolci - contorni - secondi
primi - antipasti

```
MENU
1._____
2._____
3._____
4._____
5._____
```

Completa il menù del ristorante con le parole della lista.

2. Domande e risposte

1. Cosa prende?
2. Che cosa mi consiglia?
3. Ci può portare del pane, per favore?
4. Posso pagare con la carta?
5. Quant'è?
6. Prendo una birra.

a. No, purtroppo solo in contanti.
b. Mi dispiace, la birra non c'è.
c. Prendo solo un primo.
d. Sono cinque euro.
e. Le consiglio gli spaghetti.
f. Certo, signora, subito!

Abbina le domande alle risposte appropriate.

3. Segnali stradali

 ☐   ☐   ☐   ☐

1. tornare indietro   2. girare   3. attenzione: traversa   4. andare dritto

Abbina le immagini al loro significato.

4. Frasi incomplete

piace – la vostra – pagate – gli – ci sono – c'è – preferisci – nostro

1. In questa città _____ solo tre cinema.
2. "Da Tiziano" è il _____ ristorante preferito.
3. Ti piacciono _____ gnocchi al pesto?
4. _____ una fermata della metro qui vicino?
5. _____ andare a piedi o in macchina?
6. Non ci _____ mangiare al ristorante.
7. _____ in contanti o con la carta?
8. Posso prendere _____ macchina stasera?

Completa le frasi con le parole della lista.

2   Ripasso

Lavora con un compagno. Immaginate di essere nelle situazioni accanto e improvvisate un dialogo. Seguite i modelli e, se volete, usate anche altre espressioni. L'importante è improvvisare!
Potete anche cambiare compagno dopo ogni dialogo.

5. Parlare

1. Studente A: un cliente in un ristorante; studente B: un cameriere.
   Situazione: il cliente ordina da bere e da mangiare.

   ● Ecco il menù. Cosa prende?
   ♦ Vorrei... C'è della carne...
   ● ... Prende anche un secondo?...
   ♦ ... E che vino mi consiglia?...

2. Studente A: un cliente in un negozio di telefonia; studente B: un commesso.
   Situazione: il cliente chiede informazioni sulle schede SIM.

   ● Buongiorno, vorrei comprare...
   ♦ Certo, c'è questa qui, costa...
   ● E quanto... le telefonate al minuto e...?
   ♦ Costano... euro e un sms costa...

3. Studente A: un turista; studente B: un impiegato di banca.
   Situazione: il turista ha un problema con il bancomat.

   ● Buongiorno, mi dica.
   ♦ Sono un turista... e ho un problema con la mia tessera.
   ● Mah, allora la Sua banca dovrebbe...
   ♦ Va bene ma che devo fare per riavere la mia tessera?...

4. Studente A: un turista; studente B: un passante.
   Situazione: il turista vuole sapere come arrivare all'aeroporto.

   ● Scusi, come faccio ad arrivare a...?
   ♦ Prende... Fa... fermate e poi prende...
   ● Da lì prendo...? E dove devo scendere?
   ♦ Scende a... E poi è vicino.

5. Studente A: una persona adulta; studente B: un impiegato di un ufficio postale.
   Situazione: la persona vuole spedire un pacco.

   ● Prego, che cosa deve fare? ...
   ♦ Buongiorno, dovrei spedire un pacco in...
   ● Preferisce la posta celere o ordinaria? ...
   ♦ Quanto costa...?
   ● Costa...
   ♦ Allora...

In viaggio 9

Che tempo fa?

Queste frasi descrivono il tempo atmosferico rappresentato nelle foto.

1. C'è nebbia.
2. Fa freddo e c'è la neve.
3. C'è vento.
4. Piove.
5. Fa caldo e c'è il sole.

Che tempo fa in estate nella tua città?

_____

E in inverno?

_____

Comunicazione:

◇ Il giornaliero costa 4 euro e il settimanale 16.
☐ Allora prendo un giornaliero.

◇ Come faccio ad arrivare all'aeroporto?
☐ Fa sei fermate e scende a Circo Massimo.

◇ Per che squadra tifi?
☐ Per il Napoli.

☐ Com'è il tempo a Bari?
◇ È brutto tempo, piove e fa freddo./È bello, c'è il sole e fa caldo.

◇ Le piace Roma?
☐ Sì, moltissimo/tantissimo.

Grammatica:

• presente dei verbi: *salgo, sali, sale...*
• preposizioni con andare: *all'aeroporto, dal dottore, da Caterina*
• espressioni con avere: *Ho ragione., Hai torto., Ha Caldo., Ha freddo., Abbiamo fame., Avete sete., Hanno sonno.*
• espressioni di tempo: *due settimane fa, la settimana scorsa. la settimana prossima, tra una settimana*

9a   Devo prendere un taxi...

CD 47 Ascolta il dialogo.

◆ Salve, il Corriere e un biglietto, per favore.
● Sono due euro.
◆ Ah, mi scusi, un biglietto giornaliero invece quanto costa?
  O magari un settimanale?
● Dunque, il giornaliero costa 4 euro e il settimanale 16.
◆ Allora prendo un giornaliero. Senta, come faccio ad arrivare
  all'aeroporto?
● Prende l'autobus, il 3. Fa sei fermate e scende al Circo Massimo,
  poi prende la metro in direzione Rebibbia fino alla stazione
  Termini, e da lì c'è un treno diretto per l'aeroporto.
◆ Va bene, grazie.
● Ma giovedì c'è sciopero, eh, attenzione!
◆ Oh no, proprio giovedì? E ora che faccio?
● Eh, deve prendere un taxi...

≫ Comunicazione

- **Introdurre una conseguenza**
  - Il giornaliero costa 4 euro e il settimanale 16.
  - ● **Allora** prendo un giornaliero.

- **Chiedere e dare indicazioni stradali**
  - Come faccio ad arrivare all'aeroporto?
  - ● Fa sei fermate e scende a..., poi prende... fino a...

≫ Grammatica

Preposizioni con *andare*

	a + articolo	da + articolo (con le persone)	da (con i nomi di persona)
vado...	all'aeroporto allo stadio al parco al porto	dal medico/dal dottore dal meccanico	da Caterina = a casa di Caterina

Vocabolario

biglietto giornaliero = per un solo giorno

biglietto settimanale = per tutta la settimana

Attenzione: tessera/abbonamento mensile = per tutto il mese

salire   scendere

Attenzione: salire è irregolare
(salgo, sali, sale, saliamo, salite, salgono)

sciopero (→ scioperare)

1. Comprensione e pronuncia

1. Vorrei un biglietto giornaliero, per favore.
2. Come faccio ad arrivare alla stazione?
3. Che numero devo prendere?
4. Prende il 5 e scende alla stazione Termini.
5. Oggi c'è sciopero…

(CD) 48 Ascolta le frasi e ripeti.

2. Preposizioni

*Come faccio ad arrivare **all'aeroporto**?*

1. aeroporto
2. porto
3. Paolo
4. pensione
5. ristorante "Mareblù"
6. stadio
7. zoo
8. mare
9. cinema♂
10. albergo "Dolce Vita"
11. mercato
12. dottore♂

Lavora con un compagno. A turno chiedete indicazioni per arrivare alle destinazioni della lista come nell'esempio. Attenzione alle preposizioni (e agli articoli, se necessari)!

3. Parole in disordine

1. Per arrivare in stazione fino prendere fermata alla metro deve la "Termini".
2. Fa tre fermate a "Colosseo". scende e
3. la "Anagnina" direzione in Prende metro e scende alla stazione centrale: da lì per treno aeroporto. un c'è l'

Alcune parole di queste indicazioni stradali non sono in ordine. Ordina le parole e forma delle indicazioni logiche.

4. Frasi incomplete

fino – fermate – deve – giornaliero – linea – abbonamento

1. Quanto costa un biglietto _____?
2. Vorrei comprare un _____ mensile.
3. Va _____ alla stazione centrale.
4. C'è sciopero, _____ prendere un taxi.
5. Fa sei _____ e scende al Circo Massimo.
6. Senta, che _____ devo prendere?

Completa le frasi con le parole della lista.

5. Parlare

♦ Come faccio ad arrivare a…?
● È facile, prende… Fa… fermate e scende alla stazione…, poi prende la linea… in direzione… fino alla stazione…
♦ Va bene, grazie.

Lavora con un compagno. Guardate la mappa della metro (pag. 133). Siete alla stazione centrale. Uno studente chiede come arrivare a una destinazione X, l'altro risponde. Poi invertite i ruoli. Seguite il modello accanto.

9b All'aeroporto, per favore.

Vocabolario

sole

luna

calcio

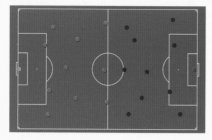

squadra A   squadra B

tifare (→ tifoso)

Roma ≠ la Roma

↓   ↓

città   squadra di calcio

♦ Per che squadra tifi?
● Per la Juventus/il Milan/il Napoli.

◆ È libero?
● Sì, sì, prego. Mi dia le valigie... Dove La porto?
◆ All'aeroporto, per favore.
● Parte di già? Non Le piace Roma?
◆ Sì, sì, tantissimo... E poi qui c'è il sole, fa caldo... Però devo tornare al lavoro...
● Eh sì, ha ragione, è proprio bel tempo... Ma la settimana prossima piove, sa? Parte appena in tempo... Ma Lei, di dov'è?
◆ Sono tedesco...
● Ah, ho capito. Vabbè, almeno quest'anno il Bayern Monaco va bene, no? Le piace il calcio? Per che squadra tifa?
◆ Mah, veramente...
● Eh, io sono un tifoso della Roma, sa... Per me la Roma è tutto...

» Comunicazione

• **Parlare del tempo atmosferico**

■ Com'è il tempo a Bari? / Che tempo fa a Bari?

● È bello. / C'è il sole.
● Fa freddo. ↔ Fa caldo.

È nuvoloso.

È brutto. — Piove.

Nevica.

» Grammatica

Piacere

♦ **Le piace** Roma?
● Sì, moltissimo/tantissimo.

Attenzione: Le = a Lei

Espressioni di tempo

passato	futuro
due settimane fa	la settimana prossima
la settimana scorsa	tra una settimana

Espressioni con *avere*

avere ragione ↕ avere torto	
avere caldo	Ho Hai Ha Abbiamo Avete Hanno
avere freddo	caldo.

1. Comprensione e pronuncia

1. È libero, vero? Devo andare alla stazione.
2. Sì, sì, prego signora. Mi dia le valigie.
3. Quanto costa andare al porto?
4. Che brutto tempo, oggi! Piove e c'è vento.
5. Ma la settimana prossima dovrebbe migliorare.
6. Per che squadra tifa in Italia?

CD 50 Ascolta le frasi e ripeti.

2. Domande e risposte

1. È libero?
2. Dove La porto?
3. Per che squadra tifa?
4. Ma Lei di dov'è?
5. Non ha freddo?
6. Le piace il calcio?

a. Per la Fiorentina!
b. Sì, sì, prego.
c. Veramente non molto…
d. Ma no, fa caldo!
e. Alla stazione.
f. Sono tunisina.

Abbina le domande alle risposte appropriate. Poi ripeti le domande e le risposte con un compagno.

3. Comprensione orale

1. Roberto deve andare…
   a. all'aeroporto.
   b. al porto.
2. Fa bel tempo, vero?
   a. Sì, fa bel tempo.
   b. No, piove molto.
3. Perché torna a Berna?
   a. Deve tornare al lavoro.
   b. Non gli piace Milano.
4. Il tassista tifa per…
   a. l'Inter.
   b. il Milan.

CD 51 Ascolta e seleziona l'opzione corretta.

4. Verbi

ha trovato – chiamiamo – ho portato – compro – hanno lavorato

1. Due giorni fa (*io*) _____ un cliente allo stadio con il mio taxi.
2. La settimana prossima (*io*) _____ l'abbonamento della metropolitana.
3. Tra tre giorni (*noi*) _____ la nostra amica Gabriella.
4. Il mese scorso (*loro*) _____ anche il sabato e la domenica!
5. Un anno fa (*lei*) _____ lavoro in Inghilterra, a Londra.

Completa le frasi con i verbi al presente o al passato prossimo.

5. Parlare

♦ Ma non hai caldo?
● Mah, per me non fa caldo…
♦ Davvero? Com'è il tempo nella tua città?
● Be', in estate… e in inverno…
♦ Ah, qui invece…

Lavora con un compagno. Seguite il modello e improvvisate un dialogo parlando del tempo nella vostra città.

9c Le previsioni del tempo

Vocabolario

nord
nord-ovest / nord-est
ovest — est
sud-ovest \ sud-est
sud

Settentrione = Italia del nord
Meridione = Italia del sud

pioggia (→ piovere)

Alpi e Appennini = montagne italiane

in aumento↑ stabile – in diminuzione↓

sereno = senza nuvole

leggermente = un po'

costa

isola

Leggi le previsioni del tempo e inserisci i simboli nelle tre sezioni della cartina d'Italia.

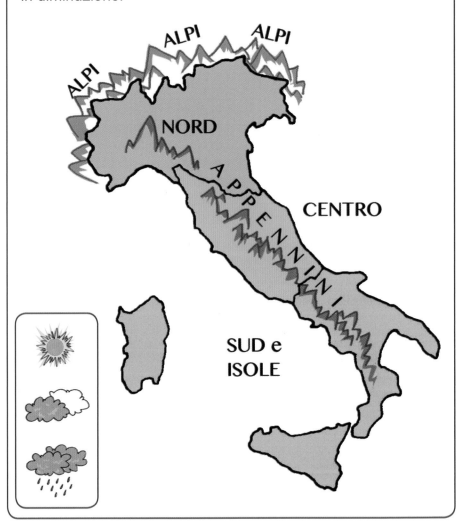

meteo

Al Nord: molto nuvoloso a nord-est, poco nuvoloso nel resto del Settentrione. Possibilità di pioggia sulle Alpi. Temperature in aumento.

Al Centro: sereno sulle coste, leggermente nuvoloso sugli Appennini. Temperature stabili.

Al Sud e sulle Isole: sereno su tutte le regioni del Meridione, con qualche possibilità di pioggia sulla Sardegna. Temperature in diminuzione.

ALPI ALPI ALPI

NORD

APPENNINI

CENTRO

SUD e
ISOLE

1. Nomi e verbi

1. neve	a. diminuire
2. pioggia	b. salita
3. aumento	c. piovere
4. diminuzione	d. aumentare
5. salire	e. nevicare

Abbina i nomi nella colonna sinistra ai verbi corrispondenti nella colonna destra.

2. Punti cardinali

sud – ovest – nord-est – est – sud-ovest – nord – sud-est – nord-ovest

Completa l'immagine con i punti cardinali.

3. Preposizioni

in – a – in – sulla – sulle – sugli

1. sereno _____ coste

2. temperature _____ aumento

3. molto nuvoloso _____ nord est

4. possibilità di pioggia _____ Sardegna

5. leggermente nuvoloso _____ Appennini

6. temperature _____ diminuzione

Completa le frasi con le preposizioni della lista.

4. Previsioni del tempo

Ecco il tempo previsto oggi in Sicilia:

_____
_____
_____
_____
_____
_____
_____

Che tempo fa oggi in Sicilia? Guarda l'immagine e scrivi una breve descrizione.

9 Cultura e civiltà

Castel Sant'Angelo - Roma

David di Michelangelo - Firenze
(Galleria dell'Accademia)

Colosseo - Roma

La Primavera di Botticelli -
Firenze (Galleria degli Uffizi)

Scavi di Pompei (Napoli)

I monumenti italiani più visitati

Leggi il testo e completa la classifica con i monumenti.

Le tre città italiane preferite dai turisti sono Roma, Firenze e Venezia. Ma i monumenti più visitati si trovano tutti in queste città?

Secondo le statistiche il campione assoluto è il Colosseo, seguito dagli scavi di Pompei al secondo posto. Al terzo si piazza invece la Galleria degli Uffizi di Firenze. Chiudono questa breve classifica la Galleria dell'Accademia, sempre nel capoluogo fiorentino, e Castel Sant'Angelo nella capitale.

Classifica:

1. _____ 3. _____ 5. _____

2. _____ 4. _____

Qualche parola in più

Muoversi in città

capolinea ♂ = ultima fermata

biglietteria

Espressioni con *avere*

avere fame

  avere sete

avere sonno
Ho sonno = Sono stanco.

Il tempo

Grandina.

Fare spese 10

albicocche

melone

funghi

pomodori

prugne

Comunicazione:

☐ *A chi tocca?*
◇ *A me!*

☐ *Altro?*
◇ *No, basta così, grazie.*

☐ *Che taglia porta?*
◇ *La 46.*

☐ *Come Le sta?*
◇ *Mi sembra stretto.*

◇ *Che ne pensa?*
☐ *Le sta benissimo.*

Grammatica:

• dimostrativi: *questo e quello*
• il pronome *ne*
• aggettivi invariabili: *viola, rosa, blu*

Un mondo di colori!

Guarda la foto del mercato, leggi i nomi della frutta e della verdura, poi completa la lista dei colori e rispondi alla domanda sotto.

1. **rosso** come i _____
2. **viola** come le _____
3. **giallo** come il _____
4. **bianco** come i _____
5. **arancione** come le _____

Qual è il tuo colore preferito?
È il/l'_____.

Altri colori

nero   grigio   rosa   **blu**   marrone   verde

10a Vorrei un chilo di pomodori.

Vocabolario

peperoni

insalata

formaggio fresco ⟷ formaggio stagionato

↓   ↓

ricotta, mozzarella, ecc.   parmigiano, ecc.

un pezzo di formaggio = una fetta di formaggio

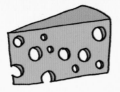

un bel pezzo = un pezzo grande

(CD)52 **Ascolta il dialogo.**

♦ A chi tocca?
● A me. Vorrei un chilo di pomodori.
♦ Questi vanno bene?... Ecco a Lei. Altro?
● Sì, dei peperoni e un po' d'insalata, per favore.
♦ I peperoni come li vuole? Rossi o gialli?
● Rossi. Ne prendo cinque... Ha anche del formaggio?
♦ Certo. Lo preferisce fresco o stagionato?
● Stagionato, magari del pecorino...
♦ Allora un bel pezzo di pecorino stagionato...
  Va bene così?
● Un po' di più... ecco, così va bene.
♦ Ecco a Lei. Altro?
● No, basta così, grazie. Quant'è?
♦ Sono quindici euro.

≫ Comunicazione

- **Chiedere e dire di chi è il turno**
  ■ A chi tocca?   ● A me!

- **Concludere un acquisto al (super)mercato**
  ■ Altro?   ● No, basta così, grazie.
  ■ Basta così?   ● Sì, grazie.

≫ Grammatica

Dimostrativi: *questo*

	singolare	plurale
maschile	**Questo** melone è molto buono.	**Questi** meloni sono molto buoni.
femminile	Non mi piace **questa** prugna.	Non mi piacciono **queste** prugne.

Il pronome *ne*

♦ Vorrei dei peperoni.
● Quanti **ne** vuole? = Quanti peperoni vuole?
♦ **Ne** vorrei cinque. = Vorrei cinque peperoni.

♦ Ha del formaggio?
● Sì, quanto **ne** vuole? = Quanto formaggio vuole?
♦ **Ne** prendo una fetta. = Prendo una fetta di formaggio.

1. Comprensione e pronuncia

1. Vorrei un chilo di arance, per favore.
2. Queste vanno bene? Ecco a Lei. Altro?
3. Sì, delle pesche e del pecorino.
4. Certo. Allora un bel pezzo di pecorino.
5. E ecco le pesche. Va bene così?
6. Basta così, grazie. Quant'è?

CD 53 Ascolta le frasi e ripeti.

2. La risposta giusta

1. A chi tocca?
  a. Sì, esatto!
  b. A me.

2. Basta così?
  a. Sì, grazie.
  b. Stagionato.

3. Quant'è?
  a. Ecco un bel pezzo di formaggio.
  b. Sono 12 euro.

4. Il melone come lo vuole?
  a. Giallo, grazie.
  b. Dei peperoni, per favore.

Seleziona l'opzione corretta.
Poi ripeti i minidialoghi insieme a un compagno.

3. Sostituzioni

*Prendo **un chilo** di **albicocche**, per favore.*

1. un chilo – albicocche
2. quattro etti – funghi
3. mezzo chilo – prugne
4. due chili – pomodori
5. tre chili – patate
6. due etti – parmigiano

Lavora con un compagno. Sostituite le parole **evidenziate** nell'esempio con le parole della lista.
Attenzione: un etto = 100 grammi

4. Gruppi di parole

Vorrei… per favore.

1. un etto di
2. una fetta di
3. un pacco di
4. una scatoletta di
5. una bottiglia di
6. un barattolo di

a. vino
b. marmellata
c. tonno
d. pasta
e. torta
f. prosciutto

Lavora con un compagno. A turno ogni studente completa la frase dell'esempio abbinando le parole della colonna sinistra alle parole della colonna destra.
Attenzione:

scatoletta di tonno

barattolo di marmellata

5. Parlare

● A chi tocca?
◆ A me. Vorrei un chilo di…
● Questi/Queste vanno bene?
◆ Ha anche…?
● Certo…

Lavora con un compagno. Siete al mercato. Uno studente è un cliente, l'altro lavora al mercato. Improvvisate un dialogo seguendo il modello.

10 b Avete una taglia più grande?

Ascolta il dialogo.

◆ Buongiorno, posso aiutarLa?

● Sì, vorrei vedere quel vestito in vetrina.

◆ Quello verde a fiori?

● Sì, esatto. Avete la 46?

◆ Certo, un attimo solo… Ecco, se vuole provarlo il camerino è lì.
…

◆ Allora, come Le sta?

● Mah, mi sembra un po' stretto… Che ne pensa? Magari avete una taglia più grande?

◆ Ma no! Secondo me è perfetto così… Le sta benissimo…

● Dice? E va bene, allora lo prendo. E mi servono anche un paio di scarpe, eleganti, con il tacco…

◆ Che numero porta?

● Ho il 39… E poi vorrei vedere anche una borsa, una cintura, un…

≫ Comunicazione

- **Chiedere e dare aiuto in un negozio di abbigliamento**
  - ■ Che numero/taglia porta?   ● Il 38 / La 46.

- **Chiedere e dare un parere**
  - ■ Come Le sta?   ● Mi sembra stretto., Mi sta male.,
  - ● Mi sta benissimo., Mi sta largo.

- **Esprimere un bisogno**
  - Mi servono delle scarpe.   Mi serve una borsa blu.

≫ Grammatica

Dimostrativi: *quello*

	singolare	plurale
maschile	**Quel** vestito costa 60 euro.	**Quei** vestiti costano 60 euro.
femminile	Non mi piace **quella** borsa.	Non mi piacciono **quelle** borse.

Colori

Gli aggettivi *viola*, *blu* e *rosa* sono invariabili.
Esempi: delle scarpe viol**a**,
due vestiti ros**a**, le mie borse bl**u**

Vocabolario

vestito   vetrina

a fiori a quadretti a righe a tinta unita
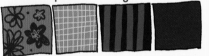

camerino

stretto   largo   lungo   corto

taglia

un paio = due

scarpe

tacco

borsa   cintura/cinta

1. Comprensione e pronuncia

1. Buongiorno, posso aiutarLa?
2. Sì, vorrei provare questo vestito.
3. Certo, che taglia porta?
4. La 44. Scusi, dov'è il camerino?
5. È lì. Allora, come Le sta?
6. Secondo me è un po' stretto.

CD 55 Ascolta le frasi e ripeti.

2. Dimostrativi

1. Quanto costa _____ borsa?
2. Come Le sta _____ vestito?
3. Non mi piacciono _____ scarpe.
4. Avete _____ cintura anche in nero?
5. _____ jeans sono troppo stretti.

Completa le frasi con *questo*, *questa*, *questi* o *queste*.

3. Comprensione orale

1. Giulia vuole vedere…
   a. una camicia.
   b. una giacca.

2. Di che colore è?
   a. Verde.
   b. Gialla.

3. Che taglia porta?
   a. Porta la 44.
   b. Porta la 46.

4. Ma è un po'…
   a. stretta.
   b. larga.

CD 56 Ascolta e seleziona l'opzione corretta. Poi leggi le frasi insieme a un compagno.

4. L'opzione giusta

1. Posso provarlo?
   a. Scusi.
   b. Certo, un attimo solo!

2. Dov'è il camerino?
   a. Qui a destra.
   b. Le sta largo.

3. Che ne pensa?
   a. Buongiorno.
   b. Le sta benissimo.

4. Posso aiutarLa?
   a. Sì, vorrei provare questo.
   b. Allora lo prendo.

Seleziona la risposta logica.

5. Parlare

- Buongiorno, posso aiutarLa?
- Sì, vorrei vedere…
- Che taglia/numero porta?
- Porto la/il…
- Come Le sta?
- Mi sembra un po'…

Lavora con un compagno. Siete in un negozio di abbigliamento. Uno studente è un cliente, l'altro un commesso. Il cliente vuole provare vestiti e scarpe, il commesso l'aiuta. Improvvisate un dialogo seguendo il modello. **Attenzione:** abbigliamento = vestiti, scarpe, borse, ecc.

Vocabolario

fare la spesa = comprare cibo
fare spese = fare shopping

(bicchiere) pieno ≠ (bicchiere) vuoto

scatola

aglio e cipolla

carota

zucchina

busta di piselli surgelati

pollo

coscia

mela

vaschetta di fragole

Federica e Antonella sono due ragazze che abitano insieme. Leggi il biglietto che Antonella lascia a Federica, poi rispondi alle domande sotto e confrontati con un compagno.

Ciao Federica,

oggi pomeriggio devo andare dal medico e non ho tempo per fare la spesa. Stasera vengono Ilaria e Valerio a cena e il nostro frigo è quasi vuoto!
Puoi andare tu al supermercato, per favore?

Ecco cosa ci serve:
un pacco di spaghetti
aglio e cipolla rossa
mezzo chilo di carote
un chilo di zucchine
una busta di piselli surgelati
quattro cosce di pollo
delle mele verdi
una vaschetta di fragole

Torno verso le 8, stasera cucino io!

A dopo, Antonella

---

1. Perché Antonella non può andare a fare la spesa?

2. Perché è necessario fare la spesa oggi?

3. Stasera cucina Federica o Antonella?

4. Quale categoria di cibo non è nella lista?

☐ carne ☐ pesce ☐ frutta ☐ verdura ☐ pasta

'ALMA.tv
Vai su www.alma.tv nella sezione *Linguaquiz* e prova i videoquiz a tempo!

1. Trova l'intruso

1. una fetta di	a. formaggio	b. prosciutto	c. latte
2. una busta di	a. acqua	b. insalata	c. piselli
3. una bottiglia di	a. birra	b. acqua	c. pane
4. un pacco di	a. pasta	b. riso	c. vino
5. un barattolo di	a. pollo	b. miele	c. marmellata

In ogni lista c'è un prodotto o un ingrediente non logico. Qual è? Trovalo e poi confrontati con un compagno. Se ci sono parole che non conosci o ricordi, vai a pagina 98 o rivedi l'intera lezione.

2. Sostituzione

Oggi pomeriggio devo andare **dal medico** e non ho tempo per fare la spesa.

1. oggi pomeriggio – dal medico
2. domani – dal dentista
3. stamattina – in banca
4. più tardi – in stazione
5. martedì – da mio fratello
6. dopo – alla posta

Sostituisci le parole **evidenziate** nell'esempio con le parole della lista.

3. Colori

1. carota, arancia, albicocca _____
2. zucchina, insalata, piselli _____
3. banana, ananas, limone _____
4. cavolfiore, aglio, finocchio _____
5. pomodoro, peperoncino, ciliegia _____

Di che colori sono questi frutti e ortaggi? Scrivi il colore giusto accanto a ogni lista.

Se ci sono parole che non conosci o ricordi, vai a pagina 98 o rivedi l'intera lezione.

4. Scrivere

Vuoi preparare una ricetta con i prodotti indicati nella lista di Antonella. Quali altri ingredienti ti servono? Che ricetta prepari?

Lavora con un compagno. Rileggete la lista della spesa a pagina 96, decidete che tipo di ricetta preparare e immaginate gli altri ingredienti necessari. Se volete, potete usare il dizionario o chiedere aiuto all'insegnante.

10 Cultura e civiltà

Giorgio Armani

Dolce e Gabbana

Salvatore Ferragamo

Miuccia Prada

1. giacca
2. camicia
3. cravatta
4. pantaloni
5. gonna
6. maglietta
7. maglione
8. scarpe da
   ginnastica
9. occhiali
10. short

Abbigliamento e taglie

L'Italia è famosa in tutto il mondo per la moda e i suoi stilisti (Fendi, Valentino, Versace, ecc; vedi anche i nomi indicati nelle foto). I turisti che desiderano fare shopping possono avere bisogno di una tabella di conversione tra le taglie italiane e quelle utilizzate in altri paesi. Eccone un esempio.

Taglia	Taglia italiana	Taglia francese	Taglia americana	Taglia giapponese
XS	38	34	2	7
S	40	36	4	9
M	42	38	6	11
L	44	40	8	13
XL	46	42	10	15
XXL	48	44	12	17
XXXL	50	46	14	19

E tu che taglia porti in Italia?

Qualche parola in più

Cibo

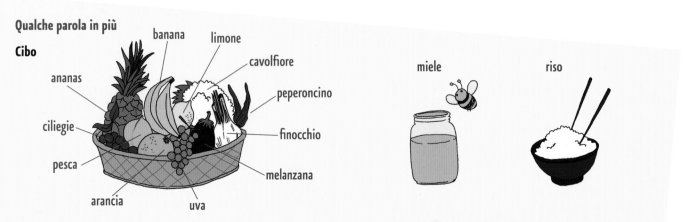

banana
limone
cavolfiore
peperoncino
finocchio
melanzana
ananas
ciliegie
pesca
arancia
uva
miele
riso

Problemi di salute 11

Comunicazione:

◇ *Come si sente?*

☐ *Mi sento male: mi gira la testa, ho mal di pancia e mi fa male la gola.*

Vado in spiaggia due volte al mese.

Si accomodi!/Accomodati!

Grammatica:

- participi passati irregolari: *bevuto, detto, fatto, letto, preso, stato, scritto, venuto*
- avverbi: *chiaramente, velocemente, probabilmente*
- passato prossimo dei verbi con essere: *Sono tornata., Sei tornato., È tornata...*

In caso di malattia...

Abbina le parole della prima colonna alle definizioni. Se vuoi, puoi chiedere all'insegnante il significato delle parole che non conosci.

1. farmacia aperta la notte e la domenica

2. significa "medico"

3. luogo dove lavorano i medici (pubblico o privato)

4. settore di un ospedale che si occupa delle emergenze

a. dottore/dottoressa

b. farmacia di turno

c. pronto soccorso

d. studio medico

II a   Che sintomi ha esattamente?

Vocabolario

confezione di aspirina = scatola di aspirina

strano = non normale

prendere il sole

colpo di sole

medicinale = farmaco, medicina

riposare

Mi raccomando! = È importante, deve fare così!

CD 57 Ascolta il dialogo.

◆ Salve, mi dica.

● Vorrei una confezione di aspirina®, per favore... e anche qualcosa contro la nausea.

◆ Sì, certo... Ma che sintomi ha esattamente?

● Mi gira la testa, ho la nausea – e penso di avere anche un po' di febbre...

◆ Ha mangiato qualcosa di strano oggi?

● No, no, solo un piatto di carbonara e un bicchiere di vino. Poi ho preso il sole in spiaggia tutto il pomeriggio... Insomma, niente di speciale.

◆ Mah, probabilmente ha preso un colpo di sole. Le do questo medicinale: lo prenda tre volte al giorno. E soprattutto deve bere molta acqua e riposare. E mi raccomando, per un paio di giorni niente sole e niente alcol!

》 Comunicazione

- **Chiedere e dare informazioni su malesseri fisici**

  ■ Che sintomi ha? ● Ho la febbre. ● Ho la nausea. ● Mi gira la testa.

  ■ Come si sente?

  ● Ho mal di pancia. ● Ho mal di denti. ● Ho mal di schiena.

- **Indicare la regolarità di un'azione**

  Vado in spiaggia una volta/due volte
  - al giorno.
  - a settimana.
  - al mese.
  - all'anno.

》 Grammatica

Participi passati irregolari

bere → **bevuto**	dire → **detto**	fare → **fatto**
leggere → **letto**	prendere → **preso**	scrivere → **scritto**

Avverbi

chiaro → chiar**a** → chiara**mente**	veloce → veloce**mente**

probabile → probabil**mente**

Esercizi II a

1. Comprensione e pronuncia

1. Salve, vorrei un calmante, per favore.
2. E anche qualcosa contro il mal di testa.
3. Ma mi dica, che sintomi ha esattamente?
4. Ho mal di pancia e mi gira la testa.
5. Ha mangiato qualcosa di strano oggi?
6. Probabilmente ha preso un colpo di sole.

CD 58 Ascolta le frasi e ripeti.

2. Dialogo incompleto

testa – medicinale – febbre – sintomi – volte – aspirina®

♦ Buongiorno, vorrei una confezione di _____.
● Ecco qui, ma che _____ ha?
♦ Ho mal di _____. E penso di avere un po' di _____.
● Allora le do questo _____. Lo prenda tre _____ al giorno.

Completa il dialogo con le parole della lista. Poi ripeti il dialogo insieme a un compagno.

3. Frasi incomplete

pancia – denti – la testa – nausea

1. Mi gira _____.
2. Ho mal di _____.
3. Ho la _____.
4. Ho mal di _____.

Completa le frasi con le parole della lista.

4. Participi passati

1. Ho (*bere*) _____ dell'acqua freddissima e ora ho mal di pancia!
2. Il dottore ha (*dire*) _____ che non devo prendere farmaci.
3. Per andare in ospedale abbiamo (*prendere*) _____ un taxi.
4.
♦ Che cosa hai (*fare*) _____ ieri sera?
● Ho (*leggere*) _____ un libro e scritto qualche e-mail.

Completa le frasi con i participi passati irregolari tra parentesi.

5. Parlare

● Che sintomi ha esattamente?
♦ Ho mal di.../Ho...
● Allora Le do questo medicinale: lo prenda... volte al giorno.

E soprattutto deve...
♦ Va bene.

Lavora con un compagno. Siete in uno studio medico. Uno studente è un paziente, l'altro il medico. Il paziente si sente male e descrive i propri sintomi, il medico propone una soluzione. Seguite il modello.

IIb   Mi fa male la caviglia.

Vocabolario

camminare in montagna

gamba

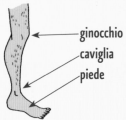

- ginocchio
- caviglia
- piede

stendersi

lettino

rotto

radiografia

prescrivere

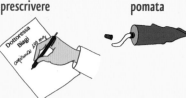

pomata

antidolorifico

CD 70 Ascolta il dialogo.

■ Buongiorno, signora, si accomodi. La dottoressa La riceve subito.

● Grazie. Solo una domanda: la mia assicurazione sanitaria spagnola è valida anche in Italia, vero?

■ Credo proprio di sì. Ah, ecco, la dottoressa è libera. Prego.

…

● Buongiorno, dottoressa.

♦ Buongiorno, si accomodi. Mi dica.

● Allora, ieri sono andata a camminare in montagna e quando sono tornata… Non so, oggi mi fa male la caviglia, è molto gonfia e non cammino bene.

♦ Mhh, vediamo. Si stenda sul lettino. Dove Le fa male? Qui?

● Ahi, ahi! Sì, proprio lì. Secondo lei è rotta?

♦ No, no, non penso. Facciamo una radiografia per controllare, ma sicuramente non è grave.

● Speriamo! Sa, sono qui in Italia in vacanza!

♦ Non si preoccupi, sicuramente non deve interrompere le vacanze. Intanto Le prescrivo una pomata e un antidolorifico.

» Comunicazione

- **Invitare una persona a sedersi**
formale: Si accomodi! informale: Accomodati!

- **Dare informazioni su malesseri fisici**

Mi fa male ── la testa.

── la gola.

» Grammatica

Passato prossimo con *essere*

ausiliare	participio passato
Sono Sei È	tornato/a.
Siamo Siete Sono	tornati/e.

Funzionano così: andare, partire, venire.

Participi passati irregolari

essere/stare → **stato**
venire → **venuto**

Esercizi IIb

1. Comprensione e pronuncia

1. Il dentista La riceve subito.
2. La Sua assicurazione sanitaria è valida.
3. Forse la mia gamba è rotta.
4. Facciamo una radiografia per controllare.
5. Le prescrivo solo un antidolorifico.

CD 60 Ascolta le frasi e ripeti.

2. Comprensione orale

1. A Paolo fa male...
   a. la testa.
   b. la gamba.
2. Cosa ha mangiato?
   a. Degli spaghetti al pesto.
   b. Degli spaghetti alle vongole.
3. Paolo deve...
   a. mangiare leggero.
   b. dormire molto.

CD 61 Ascolta e seleziona l'opzione corretta.

3. Passato prossimo

1. Alice e Sara (venire) _____ a Roma per vedere i Musei Vaticani.
2. Stefano, ieri sera (tu - tornare) _____ a mezzanotte, vero?
3. L'anno scorso (io ♂ essere) _____ in Danimarca per due settimane.
4. (Voi ♀ andare) _____ a Trieste in treno o in aereo?
5. (Noi ♂ partire) _____ stamattina alle 7.
6. Oggi per andare al lavoro Veronica (prendere) _____ la metro.

Completa le frasi con i verbi tra parentesi al passato prossimo. Attenzione: un verbo funziona con l'ausiliare *avere*. Alla fine confrontati con un compagno.

4. Domande e risposte

1. Come si sente?
2. Dove Le fa male?
3. Cosa ha mangiato?
4. Che cosa ha fatto di strano?
5. La gamba è rotta?

a. Probabilmente no.
b. Un piatto di spaghetti.
c. Qui al ginocchio.
d. Mi sento molto male.
e. Ho preso molto sole.

Abbina le domande alle risposte appropriate. Poi ripeti le domande e le risposte insieme a un compagno.

5. Test sulla salute

	una volta all'anno	una volta al mese	altro
1. Quante volte vai dal dentista?	☐	☐	☐
2. Quante volte vai dal medico generico?	☐	☐	☐
3. Quante volte prendi farmaci?	☐	☐	☐
4. Quante volte vai in farmacia?	☐	☐	☐

Fai il test, poi confronta i tuoi risultati con quelli di un compagno: a turno uno fa la domanda, l'altro risponde.
Attenzione: ogni 15 giorni = due volte al mese

IIc Farmaci: istruzioni per l'uso

Vocabolario

sciroppo

compressa effervescente

gocce   bustina   compresse

muscolo ── mano

braccio

capelli

occhio ── orecchio

viso/faccia ── naso ── collo

bocca ── spalla

mg = milligrammo

adolescente ± ragazzo tra i 12 e i 18 anni

Qui sotto trovi il foglietto illustrativo (le istruzioni) di un farmaco molto comune. Leggilo e completa la tabella sotto.

||||
Voltaren© compresse

Indicazioni terapeutiche
Dolori ai muscoli (per esempio al collo).

Posologia

Adulti

100-150 mg al giorno, da prendere in due o tre volte.

In caso di dolore leggero e nelle terapie lunghe: 75-100 mg al giorno.

Per i pazienti anziani: seguire le indicazioni specifiche del medico.

Bambini e adolescenti

Non usare il farmaco in bambini e adolescenti al di sotto dei 14 anni.

In questi casi è consigliato prendere il Voltaren©?

	sì	no	dipende
1. Ti gira la testa.	☐	☐	☐
2. Hai 12 anni.	☐	☐	☐
3. Sei anziano.	☐	☐	☐
4. Ti fanno male i muscoli della schiena.	☐	☐	☐
5. Hai 40 anni.	☐	☐	☐
6. Hai un dolore leggero al collo.	☐	☐	☐

'ALMA.tv ▶

Vuoi ripassare la grammatica in modo semplice e chiaro? Vai su www.alma.tv e guarda un video nella sezione *Grammatica caffè!*

1. Parti del corpo

naso – piede – caviglia – bocca – ginocchio – occhi
1. viso: _____
2. gamba: _____

Quali parti del corpo fanno parte del viso? Quali della gamba? Associale alla parte giusta, poi confronta la tua soluzione con quella di un compagno.

....

2. Passato prossimo

Ieri (*io - avere*) _____ un brutto mal di testa, allora
(*io - prendere*) _____ un antidolorifico, ma non mi
(*aiutare*) _____, così (*io - dormire*)
_____ per un paio d'ore: il rimedio naturale
(*funzionare*) _____ perfettamente!

Completa il testo con i verbi tra parentesi al passato prossimo.
Attenzione: brutto = grave, pesante

....

3. Istruzioni incomplete

in caso di – per esempio – per i pazienti – al di sotto dei – in due o tre volte

Completa le istruzioni con le espressioni della lista. Poi rileggi il testo a pagina 104 e verifica.

Indicazioni terapeutiche
Dolori ai muscoli (_____ al collo).

Posologia

Adulti

100-150 mg al giorno, da prendere _____.

_____ dolore leggero e nelle terapie lunghe:
75-100 mg al giorno.

_____ anziani: seguire le indicazioni specifiche
del medico.

Bambini e adolescenti
Non usare il farmaco in bambini e adolescenti _____
14 anni.

....

4. Scrivere

Medicina alternativa

Nome del farmaco: _____

Indicazioni: _____

Posologia: _____
_____
_____

Usa la tua fantasia: inventa un farmaco naturale (a base di piante o fiori) e immagina come si chiama, a che cosa serve (*Indicazioni*) e come bisogna prenderlo (*Posologia*). Puoi usare il dizionario o chiedere aiuto all'insegnante.

II   Cultura e civiltà

Il Sistema Sanitario Nazionale

Come funziona?

In Italia il sistema di assistenza sanitaria pubblica comprende: il medico di famiglia, il pediatra (per i ragazzi fino ai 14 anni), la guardia medica, l'ospedale (e il servizio di pronto soccorso) e la rete di Aziende Sanitarie Locali (le "ASL", poliambulatori).

Il medico di famiglia prescrive le visite specialistiche negli ospedali pubblici o nelle ASL. Il costo di queste visite è fisso e si chiama "ticket".

Quando il medico di famiglia non è disponibile, è attiva la guardia medica (dalle 20:00 alle 08:00 e dalle 10:00 del sabato alle 08:00 del lunedì successivo). In alcune località e durante la stagione estiva esiste un servizio di "guardia medica turistica" per i non residenti.

Il servizio di pronto soccorso è gratuito solo per i casi gravi; quando arrivano, i pazienti ricevono un "codice colore": rosso per i casi urgentissimi; giallo per i casi urgenti; verde per i casi non urgenti; bianco per i casi che dovrebbe trattare il medico di famiglia.

Chi deve iscriversi al Sistema Sanitario Nazionale?

I cittadini dell'Unione Europea che restano in Italia per tre mesi massimo non devono iscriversi: possono accedere alle cure sanitarie con la tessera europea di assicurazione malattia (T.E.A.M.) del loro paese. Quelli che soggiornano per periodi più lunghi e lavorano in Italia devono iscriversi.

I cittadini extracomunitari che hanno il permesso di soggiorno per motivi di lavoro devono iscriversi al SSN. Se non hanno il permesso di soggiorno, possono - pagando il ticket - accedere ai seguenti servizi: cure urgenti in ospedale o presso le ASL, assistenza alle donne incinte e ai bambini.

Nel tuo paese le cure mediche sono gratuite o a pagamento? Parlane con un compagno.

Qualche parola in più

Problemi di salute

Ho il raffreddore.

Ho la tosse.

Mi sento male. = Sto male (fisicamente). = Sono malato.

Cercare lavoro 12

Comunicazione:

È a Milano, giusto?

Vorrei qualche informazione in più.

La ringrazio molto.

Ho iniziato a lavorare..., Ho smesso di lavorare...

Stia tranquillo.

Grammatica:

- comparativi: *Cerco un lavoro interessante come il tuo.*
- comparativi irregolari: *migliore, peggiore*
- imperativo formale: *parli, legga, dorma*
- imperativo formale irregolare: *vada, faccia, dica, venga*

Contratti di lavoro

Che tipo di contratto ha Luciano? Indica con una "X" la risposta giusta.

Luciano lavora:	a tempo determinato	a tempo indeterminato	a progetto	stagionale
1. in un hotel a Capri, ogni estate.	☐	☐	☐	☐
2. per tre anni in un'azienda che produce scarpe.	☐	☐	☐	☐
3. dal 2008 in una libreria.	☐	☐	☐	☐
4. per sei mesi su vari progetti per uno studio di grafica; lavora a casa.	☐	☐	☐	☐

12a Ho letto l'annuncio sul vostro sito.

CD 62 Ascolta il dialogo.

♦ Agenzia interinale "Nuovo Lavoro", buongiorno.

● Pronto, buongiorno, mi chiamo Lisa Murati e telefono per le due posizioni di parrucchiera. Ho letto l'annuncio sul vostro sito.

♦ Ah, sì, a Milano e a Sesto San Giovanni, giusto?

● Sì, vorrei qualche informazione in più prima di inviare il mio *curriculum vitae*.

♦ Certo, la posizione a Milano ha una durata più lunga, di circa otto mesi, ma il negozio è meno grande. Sesto San Giovanni è in periferia, ma forse le condizioni di lavoro sono migliori. Lei ha un diploma da parrucchiera?

● Sì, ma l'ho ottenuto all'estero. Sono di nazionalità albanese, ma ho un permesso di soggiorno per motivi di lavoro.

♦ Perfetto, se è interessata a entrambe le posizioni può mandare il Suo *curriculum vitae* con una foto al mio indirizzo personale: iori@nuovolavoro.com.

● Benissimo, lo faccio subito. La ringrazio molto.

♦ Si figuri, a presto.

》 Comunicazione

- **Chiedere conferma**
  È a Milano, **giusto?**

- **Chiedere informazioni supplementari**
  Vorrei qualche informazione in più.

- **Ringraziare e rispondere ai ringraziamenti**
  formale: La ringrazio molto.   informale: Ti ringrazio molto.

》 Grammatica

Comparativi

+	-	=
Il tuo contratto ha una durata **più** lunga **del** mio.	Quel negozio è **meno** grande **di** questo.	Cerco un lavoro interessante **come** il tuo.

Attenzione:

buono → più buono/**migliore**

cattivo → più cattivo/**peggiore**

Entrambi/e

♦ Le interessa la posizione a Milano o quella a Sesto?

● Mi interessano **entrambe** (le posizioni). = la posizione a Milano + quella a Sesto.

Vocabolario

agenzia interinale = agenzia che offre lavoro temporaneo

parrucchiera ♀   parrucchiere ♂

periferia ≠ centro

diploma (→ ottenere un diploma)

Attenzione: ottenere è irregolare (ottengo, ottieni, ottiene, otteniamo, ottenete, ottengono)

permesso di soggiorno = documento necessario per i cittadini extracomunitari che desiderano vivere in Italia (per motivi di lavoro o di studio)

1. Comprensione e pronuncia

1. Pronto, telefono per l'annuncio.
2. Può darmi qualche informazione in più?
3. Lei ha un diploma specifico per questa posizione?
4. Sono di nazionalità brasiliana.
5. Può mandare il Suo *curriculum* al mio indirizzo.
6. Benissimo, La ringrazio molto.

CD 63 Ascolta le frasi e ripeti.

2. Gruppi di parole

1. inviare	a. a un annuncio
2. rispondere	b. un'informazione
3. chiedere	c. un diploma
4. ottenere	d. un contratto
5. firmare	e. un curriculum vitae

Abbina i verbi della colonna sinistra alle parole della colonna destra.
Attenzione: in questo caso sono possibili soluzioni diverse!

3. Frasi incomplete

interessante – peggiori – grande – migliore – veloce

1. La mia casa è più _____ della vostra.
2. Ho un lavoro meno _____ di quello di Pietro.
3. Vincenzo e Serena lavorano in condizioni _____ delle vostre.
4. Secondo te questa macchina è meno _____ di quest'altra?
5.
♦ Quali scarpe prendo? Le rosse o le marroni?
● Le rosse, mi sembrano di qualità _____.

Completa le frasi con le parole della lista.

4. Trova l'errore

● Buongiorno signora, vorrei qualche informazione sulla vostra offerta di lavoro.
♦ Certo. Sulla posizione a Roma o a Frascati?
● Su entrambi le offerte.

♦ A Frascati la retribuzione è migliori, ma il contratto è a tempo determinato. Può inviare il Suo *curriculum* e indicare nell'e-mail la posizione che preferisce.

Nel testo accanto ci sono due errori di grammatica. Trovali e correggili. Poi confrontati con un compagno.
Attenzione: retribuzione = soldi dati a una persona che lavora

5. Parlare

MEDIJOB **SELEZIONA 5 INFERMIERI**

Sede di lavoro: casa di cura privata "Salus", Napoli.
Tipo di contratto: a tempo indeterminato.
Richiesta esperienza, professionalità e disponibilità a lavorare durante le ore notturne. Contattare Angela Fiordalisi dell'agenzia MediJob al numero 081/4466118 per le procedure di candidatura.
Scadenza per la presentazione delle candidature: 20 settembre.

Lavora con un compagno. Uno studente è interessato all'annuncio on line accanto, l'altro è la Sig.ra Fiordalisi. Il candidato telefona e si informa sull'offerta. L'impiegata risponde e fa domande al candidato. Seguite il modello di pagina 108. **Attenzione:** scadenza = ultimo giorno utile

12b Mi parli della Sua esperienza professionale.

Vocabolario

Dottoressa/Dottore = titolo usato in contesti molto formali con le persone che hanno studiato all'università (laureate)

centro estetico

al momento = ora, adesso

disoccupato = che non ha lavoro

assumere ↔ **licenziare**

ferie = vacanze pagate (→ andare in ferie)

stipendio = retribuzione mensile di un lavoratore

(CD) 64 Ascolta il dialogo.

- ♦ Salve. Benvenuta.
- ● Buongiorno, Dott.ssa Iori.
- ♦ Si accomodi... Allora, il Suo profilo è molto interessante, per questo l'abbiamo richiamata. Mi parli della Sua esperienza professionale.
- ● Sì, ho iniziato a lavorare in un centro estetico a Tirana, poi dopo tre anni...
- ♦ E dove ha studiato?
- ● Proprio a Tirana, ho seguito un corso professionale per parrucchieri.
- ♦ Perfetto. Al momento che cosa fa?
- ● Sono disoccupata, ho smesso di lavorare due mesi fa.
- ♦ Quindi è disponibile da subito?
- ● Sì, vorrei iniziare a lavorare il prima possibile.
- ♦ Stia tranquilla, anche la nostra agenzia vuole trovare il candidato ideale in tempi rapidi. Mi scusi, può finire di raccontarmi il Suo percorso professionale.
- ● Sì, dopo essere arrivata in Italia ho lavorato per quattro anni in un negozio a Gallarate.
- ♦ Ottimo.
- ● Ehm, senta... Sono previste ferie per questo tipo di contratto?
- ♦ Purtroppo no, si tratta di una sostituzione di qualche mese e quindi non sono previste.
- ● Ho capito. E lo stipendio di quanto è?
- ♦ Mi dia solo un momento, controllo... Ecco. Sono 1250 (milleduecentocinquanta) euro.

≫ Comunicazione

- **Indicare l'inizio e la fine di un'azione al passato**

inizio	fine
Ho **iniziato a** lavorare in un centro estetico a Tirana.	Ho **smesso di** lavorare due mesi fa.
= Ho **cominciato a** lavorare...	= Ho **finito di** lavorare...

- **Tranquillizzare**

Formale: Stia tranquillo.   Informale: Stai/Sta' tranquillo.

≫ Grammatica

Imperativo (formale)

parlare	Parli!
leggere	Legga!
dormire	Dorma!

Imperativo irregolare (formale)

andare	Vada!
fare	Faccia!
dire	Dica!
venire	Venga!

Forma negativa: Non parli!

1. Comprensione e pronuncia

1. Mi parli della Sua esperienza professionale.
2. Dove ha studiato?
3. Ho smesso di lavorare un anno fa.
4. Al momento sono disoccupata.
5. Vorrei cominciare a lavorare il prima possibile.
6. Lei è disponibile da subito?

(CD) 65 Ascolta le frasi e ripeti.

2. Verbi

spieghi – aspetti – dica – stia – accomodi

♦ Benvenuto, signor Fornero. Si _____!
● Grazie.
♦ Mi _____, dove ha lavorato in passato?
● In uno studio di ingegneria a Cagliari e poi...
♦ _____: può parlarmi di questa esperienza?
● Ho fatto l'assistente amministrativo per dieci anni.
♦ Bene, mi _____ in dettaglio.
● In dieci anni ho fatto tante cose!
♦ _____ tranquillo, abbiamo molto tempo a disposizione!

Completa il dialogo con gli imperativi della lista.

3. Imperativo

1. (*Leggere*) _____ questo documento.
2. (*Dormire*) _____ di più!
3. (*Andare*) _____ in fondo a questa strada.
4. (*Venire*) _____ qui, per favore.
5. (*Fare*) _____ attenzione alle macchine!

Completa le frasi con i verbi tra parentesi all'imperativo formale.

4. Domande e risposte

1. Dove ha studiato?
2. Al momento cosa fa?
3. È disponibile da subito?
4. Che tipo di contratto cerca?
5. Quando ha smesso di lavorare?

a. Un mese fa.
b. Un contratto a tempo indeterminato.
c. Sono disoccupato.
d. No, potrei cominciare tra due settimane.
e. All'università di Istanbul.

Abbina le domande alle risposte appropriate.

5. Parlare e scrivere

Il lavoro ideale
nome della professione: _____
sede di lavoro: _____
numero di ore settimanali: _____ mansioni: _____
_____

Lavora con un compagno. Pensate al lavoro ideale (una professione esistente o una immaginaria). Potete usare il dizionario o chiedere aiuto all'insegnante. Indicate i dettagli sul vostro lavoro ideale.
Attenzione: mansione = attività

12c   Il curriculum vitae

Leggi il *curriculum vitae* di Danilo e completalo con i titoli della lista.

Poi seguilo come modello e scrivi il tuo *curriculum vitae* in italiano. Puoi usare il dizionario e/o chiedere aiuto all'insegnante. Attenzione: conserva il tuo CV per un'attività a pagina 113.

Esperienza professionale – Altre informazioni– Informazioni personali – Lingue straniere– Istruzione e formazione

---

Vocabolario

madrelingua/lingua madre = lingua dei genitori, che impari a parlare da bambino ↔ lingua straniera

istruzione e formazione = le cose che hai studiato (teoria e tecnica)

liceo: vedi pagina 114

datore di lavoro = persona che dà lavoro

impiego = lavoro

programmatore ♂ programmatrice ♀ = persona che crea software

informatica = scienza dei computer

Curriculum vitae

1. _____

Nome, cognome: Danilo Marinis
Indirizzo: Via della Scala, 37
Telefono: 347 1836779
E-mail: da.marinis@gmail.com
Luogo di nascita: Atene, Grecia
Data di nascita: 05/06/1986
Nazionalità: italiana e greca
Madrelingua: italiano, greco

2. _____

Dal 1999 al 2004
Liceo scientifico "Majorana", Roma
Titolo conseguito: diploma di maturità

Dal 2004 al 2010
Università degli Studi Roma Tre, Roma
Dipartimento di Ingegneria informatica
Titolo conseguito: diploma di laurea

3. _____

Dal 2012 a oggi
Datore di lavoro: "Nuova Informatica", Roma
Tipo di impiego: programmatore

4. _____

Inglese: ottimo

5. _____

Cintura nera di karate

1. Le informazioni del *curriculum vitae*

1. titolo conseguito:
2. data di nascita:
3. tipo di impiego:
4. luogo di nascita:
5. datore di lavoro:
6. nome, cognome:

a. Cristina Mamoche
b. segretaria
c. Barilla
d. diploma di maturità
e. Damasco, Siria
f. 02/10/1980

Abbina le voci nella colonna sinistra alle informazioni nella colonna destra.

2. Domande da ricomporre

1. Che tipo
2. Quando
3. Per quanti
4. Quale
5. In quale

a. università ha studiato?
b. annuncio Le interessa?
c. di titolo ha conseguito?
d. anni ha lavorato alla Ferrari?
e. vorrebbe iniziare a lavorare?

Abbina le parole della prima e della seconda colonna e forma delle domande logiche.

3. Le sezioni del *curriculum vitae*

1. yoga
2. dal 2011 a oggi: insegnante
3. Marina Zeller, Via Larga 3, Bolzano
4. 2010, Università degli Studi di Napoli, Laurea in Storia dei Paesi Islamici
5. arabo, francese e inglese

a. Lingue straniere
b. Istruzione e formazione
c. Altre informazioni

d. Esperienza professionale

e. Informazioni personali

Abbina le informazioni nella colonna sinistra ai titoli di sezione nella colonna destra.

4. Vero o falso?

Danilo:
1. è nato in Italia.   V F
2. parla tre lingue.   V F
3. ha studiato all'università.   V F
4. non ha mai lavorato.   V F
5. non pratica sport.   V F

Rileggi il CV a pagina 112 e indica con una "X" se le informazioni sono vere o false.

5. Colloquio di lavoro

Lavora con un compagno. Leggi il suo CV e fagli domande per avere informazioni sulla sua formazione ed esperienza. Poi invertite i ruoli. Potete usare le espressioni di questa lezione, consultare il dizionario, o chiedere aiuto all'insegnante. **Attenzione:** colloquio di lavoro = conversazione che serve a capire se il candidato va bene per l'impiego offerto

Giorni festivi

Leggi il testo, poi rispondi alla domanda in basso a destra.

In Italia, oltre al sabato e alla domenica, esistono altri giorni in cui molte persone non vanno a lavorare: si chiamano "festivi" (quelli in cui si va a lavorare normalmente si chiamano "feriali").

Alcune festività sono legate alla religione cattolica, altre a importanti eventi storici. Ecco alcuni esempi:

1° gennaio	capodanno
6 gennaio	Epifania
25 aprile	Anniversario della Liberazione (dal nazifascismo)
1°maggio	Festa dei Lavoratori
2 giugno	Festa della Repubblica
25 dicembre	Natale
15 agosto	Ferragosto

Quali sono le principali festività nel tuo paese d'origine? Parlane con un compagno.

Qualche parola in più

Il lavoro

collega ♂ + ♀ = una persona che lavora insieme a te

lavoro part time ↔ lavoro full time

libero professionista = lavoratore free lance ↔ lavoratore dipendente

straordinari = ore di lavoro extra

pensionato = persona generalmente anziana che ha smesso di lavorare e riceve una pensione (del denaro) dallo Stato

La scuola e l'università

• dai 6 ai 10 anni: scuola elementare

• dagli 11 ai 13 anni: scuola media

• dai 14 ai 18 anni: scuola superiore (liceo scientifico, classico, artistico, linguistico; istituti tecnici e commerciali); titolo finale: **diploma di maturità**

• dopo la maturità: **università**; titolo finale: **diploma di laurea**

1. Colori

1. insalata

2. formaggio

3. carota

_____

_____

_____

4. mela

5. fragola

6. riso

_____

_____

_____

Di che colore sono questi alimenti? Scrivi il nome del colore sotto ogni immagine.

2. Passato prossimo

ausiliare: avere	ausiliare: essere
1. bere → Io _____	6. tornare → Lei _____
2. scrivere → Tu _____	7. andare → Voi ♂ _____
3. mangiare → Loro _____	8. partire → Lui _____
4. dormire → Lei _____	9. venire → Loro ♀ _____
5. capire → Noi _____	10. essere → Io ♀ _____

Coniuga i verbi delle due liste al passato prossimo. Usa il soggetto indicato.

3. Domande e risposte

1. Che numero porta?
2. Desidera altro?
3. Che cosa le piace fare?
4. A chi tocca?
5. Come mi sta questa gonna?
6. Che sintomi ha?

a. A me!
b. Male, ti sta larga.
c. Ho la nausea.
d. Ballare e studiare italiano!
e. No, basta così, grazie.
f. Il 41.

Abbina le domande alle risposte appropriate.

4. Contrari

1. leggero
2. facile
3. veloce
4. giusto
5. economico
6. bello

a. lento
b. brutto
c. caro
d. difficile
e. pesante
f. sbagliato

Abbina gli aggettivi della colonna sinistra ai loro contrari nella colonna destra.

5. Preposizioni

farmacia – supermercato – parco – Pietro – mio fratello – ristorante – ufficio – medico – casa

Con il verbo *andare* si usano diverse preposizioni. Completa la tabella come nell'esempio.

Vado...

a	al	in	da	dal
	parco			

3 Ripasso

Lavora con un compagno. Immaginate di essere nelle situazioni accanto e improvvisate un dialogo. Seguite i modelli e, se volete, usate anche altre espressioni. L'importante è improvvisare!
Potete anche cambiare compagno dopo ogni dialogo.

Attenzione: al punto 5 non dovete immaginare una situazione non reale. Parlate della vostra esperienza personale!

6. Parlare

1. Studente A: un cliente al mercato; Studente B: un venditore di frutta e verdura.
   Situazione: il cliente vuole comprare frutta e verdura fresca.

   - A chi tocca?
   - A me. Vorrei un chilo di... e anche...
   - Va bene così? Ecco a Lei. Altro?
   - ... basta così. Quant'è?

2. Studente A: una persona che non si sente bene; Studente B: un farmacista.
   Situazione: la persona malata va in farmacia e chiede un farmaco.

   - Che sintomi ha esattamente?
   - Ho... e mi fa male...
   - Probabilmente... Ma mi dica, ha... oggi?
   - No, ma...

3. Studente A: un cliente in un negozio di abbigliamento; Studente B: un commesso.
   Situazione: il cliente vuole provare un capo di abbigliamento.

   - Buongiorno... Come posso aiutarLa?
   - Vorrei...
   - Che taglia/numero porta? Che colore... Che modello...
   - Porto la/il... Vorrei...
   ...
   - Come Le sta/stanno?...
   - È/Sono... Mi sta/stanno...

4. Studente A: un candidato per un posto di lavoro; Studente B: il direttore di un'agenzia interinale.
   Situazione: il direttore fa domande al candidato per capire il suo percorso di studi e professionale.

   - Buongiorno... Prego, si accomodi. Mi parli di...
   - Ho lavorato...
   - E dove ha studiato?...
   - Ho studiato...
   - Che titolo ha?...
   - Ho un diploma di...

5. Studente A e Studente B: siete voi due!
   Spiegate al vostro compagno perché studiate italiano e che cosa avete imparato.

   - Perché studi italiano?...
   - Perché... E tu? ...
   - Perché voglio... Cosa hai imparato in questo corso? ...
   - Ho imparato... E tu? ...

Glossario alfabetico italiano - inglese

Istruzioni

Questo glossario contiene le parole, frasi ed espressioni presenti nelle sezioni **Vocabolario** delle varie lezioni e nella sezione **Qualcosa in più** alla fine di ogni pagina culturale. La terza colonna consente allo studente di annotare la traduzione nella propria lingua.

Gli aggettivi sono indicati nella forma base (maschile singolare). I verbi irregolari al presente (per es. *bere*) sono contrassegnati da un asterisco (*). Il genere è indicato per i sostantivi che terminano in -*e* (per es. *sole*) o con una vocale accentata (per es. *città*). La quarta colonna mostra il numero della lezione in cui un'espressione compare per la prima volta. Infine, non sono riportate parole di origine straniera.

Legenda   m. = maschile   f. = femminile   pl. = plurale

in italiano	in inglese	nella mia lingua	lezione
a destra	on/to the right		4
A domani!	See you Tomorrow!		0
A domattina!	See you tomorrow morning!		4
a fiori	flowery		10
A giovedì!	See you Thursday!		3
a notte	per night		3
a piedi	on foot		2
a quadretti	checked		10
a righe	striped		10
a sinistra	on/to the left		4
Abbastanza bene.	pretty fine, quite alright		0
abbonamento mensile	monthly pass		9
aceto	vinegar		6
acqua	water		4
acqua gasata	sparkling water		6
acqua naturale	still water		6
adolescente (m. e f.)	teen ager		11
adulto	adult		7
agenzia interinale	temp agency		12
aglio	garlic		10
agosto	August		3
agricoltore (m.)	farmer		1
agriturismo	tourist farm		3
al momento	at the moment		12
albergo	hotel		3
all'estero	abroad		8
Alla prossima!	See you next time!		0
alta stagione	high season		3
America centrale	Central America		8
amica	(female) friend		0
amico	(male) friend		0
ananas (m.)	pineapple		10

in italiano	in inglese	nella mia lingua	lezione
andare dritto	to go straight		5
andare in ferie	to go on (paid) holiday/vacation		12
angolo cottura	kitchenette		4
anno	year		3
antidolorifico	pain killer		11
antipasto	appetizer, starter		6
anziano	elderly		7
aperto	open		2
aprile	April		3
arancia	orange		10
architetto	architect		1
aria condizionata	air conditioning		3
ascensore (m.)	lift, elevator		4
aspettare	to wait		7
assumere	to hire		12
attraversare	to cross, to go across		5
autobus (m.)	bus		2
autunno	autumn, fall		3
avere* fame	to be hungry		9
avere* sete	to be thirsty		9
avere* sonno	to be tired/sleepy		9
avvocato	lawyer, attorney		1
bagno	bathroom, toilets, w.c.		4
balcone (m.)	balcony		4
banca	bank		1
barattolo	jar		10
bassa stagione	low season		3
benvenuto	welcome		0
bere*	to drink		5
bianco	white		5
bicchiere (m.)	glass		5
biglietteria	ticket office		9
biglietto	ticket		2
biglietto giornaliero	one-day ticket		9
biglietto settimanale	weekly ticket		9
binario	railway, platform		2
birra	beer		5
biscotto	biscuit, cookie		5
bocca	mouth		11
borsa	bag		10
bottiglia	bottle		6
box auto	garage		4
braccio	arm		11
brutto	ugly, bad, heavy		11
Buon appetito!	Enjoy your meal!		5
Buon viaggio!	Safe journey!		0

in italiano	in inglese	nella mia lingua	lezione
Buona giornata!	Have a nice day!		0
Buona serata!	Have a nice evening!, Have fun tonight!		0
Buonanotte!	Good night!		0
burro	butter		5
busta	(plastic) bag		10
bustina	sachet		11
C. A. P.	zip code		8
caffè (m.)	coffee		5
caffè macchiato	coffee with a drop of milk		5
calcio	soccer, football		9
caldo	hot, warm		4
camera da letto	bedroom		4
camera doppia	twin room		3
camera matrimoniale	double bedroom		3
camera singola	single room		3
camerino	dressing room		10
camminare	to walk		11
campeggio	camping site		3
canone (m.)	fee		7
capelli (pl.)	hair		11
capolinea (m.)	final stop		9
carne (m.)	meat		6
caro	expensive		8
carota	carrot		10
carta d'identità	identity card		4
carta di credito	credit card		6
cartolina	postcard		8
casa	house, home		4
casalinga	housewife		1
cassa	loudspeaker		7
caviglia	ankle		11
cavo	cable		7
cavolfiore (m.)	cauliflower		10
cellulare (m.)	mobile/cell phone		3
cena	dinner		3
centesimo	cent		7
centro	center/centre, old city		12
centro estetico	beauty salon		12
chiamare	to call		7
chiamata	phone call		7
chiave USB	USB pen drive		7
chilo	kilo		8
chiocciola	@, at		3
chiuso	closed		2
cibo	food		10

in italiano	in inglese	nella mia lingua	lezione
ciliegia	cherry		10
cinta	belt		10
cintura	belt		10
cioccolata calda	hot chocolate		5
ciotola	bowl		6
cipolla	onion		10
città (f.)	city, town		1
codice (m.)	code, password		7
colazione (f.)	breakfast		3
colazione inclusa	breakfast included		3
collega	colleague		0
collo	neck		11
colloquio di lavoro	job interview		12
colpo di sole	sun/heat stroke		11
coltello	knife		6
commesso	sales assistant		1
compressa	tablet, pill		11
compressa effervescente	carbon tablet		11
confezione (f.)	pack, box		11
connessione (f.)	connection		7
conto	check, bill		6
contorno	side dish		6
controllore (m.)	controller, ticket inspector		2
conveniente	cheap		8
cornetto	croissant		3
cortile (m.)	courtyard		4
corto	short		10
coscia	thigh		10
Così così.	So and so.		0
costa	coast (line)		9
Costa 70 euro.	It costs 70 Euros.		3
cucchiaino	teaspoon		6
cucchiaio	spoon		6
cucina	kitchen		4
cucina abitabile	eat-in kitchen		4
cuffie (pl.)	headphones		7
cuoco	cook		1
datore di lavoro (m.)	employer		12
destinatario	recipient, addressee		8
Di niente!	You're welcome!		2
dicembre	December		3
dietro l'angolo	around the corner		8
difficile	hard, difficult		7
digitare	to dial		7
diploma di laurea	university degree		12
diploma di maturità	high school degree		12

in italiano	in inglese	nella mia lingua	lezione
disoccupato	unemployed		12
divano	couch		4
divorziato	divorced		1
doccia	shower		4
dolce (m.)	dessert		6
domenica	Sunday		2
economico	cheap		8
essere* in vacanza	to be on holiday		1
est (m.)	east		9
estate	summer		3
faccia	face		11
faccina	emoticon, smiley		7
facile	easy		7
fare* colazione	to have/eat breakfast		3
fare* la spesa	to buy groceries		10
fare* shopping	to go shopping		3
fare* spese	to go shopping		10
farmacia	pharmacy		2
febbraio	February		3
ferie	(paid) holiday/vacation		12
fermata (dell'autobus)	(bus) stop		2
figlia	daughter		1
figlio	son		1
figlio unico	only child		1
fine settimana (m.)	weekend		2
finocchio	fennel		10
forchetta	fork		6
formaggio	cheese		5
formazione	educational training		12
fotocamera	camera		7
francobollo	stamp		8
fratelli (pl.)	siblings, brothers		1
fratello	brother		0, 1
freddo	cold		4
fresco	fresh		10
frigorifero	refrigerator, fridge		4
frutta	fruits		5
fuoco	fire		6
gamba	leg		11
gennaio	January		3
ginocchio	knee		11
giornale (m.)	newspaper		8
giornalista (m. e f.)	journalist		1
giovane	young, youngster		7
giovedì	Thursday		2
girare	to turn		5

in italiano	in inglese	nella mia lingua	lezione
giugno	June		3
giusto	right, correct		8
goccia	drop		11
grande	big		4
Grandina.	It hails.		9
Grazie mille!	Thank you very much!		2
Grazie!	Thank you!		0
idraulico	plumber		4
il mio compagno	my boyfriend, my (male) partner		0
il mio miglior amico	my best (male) friend		0
il mio ragazzo	my boyfriend		0
impiegato	employee, clerk		1
impiego	job		12
in aumento	rising, increasing		9
in contanti	in cash		6
in diminuzione	dicreasing		9
in macchina	by car		2
in tempi rapidi	fast, quickly		8
incrocio	intersection		5
indirizzo	address		3
indirizzo di posta elettronica	e-mail address		3
infermiera	(female) nurse		1
infermiere (m.)	(male) nurse		1
informatica	computer science		12
insalata	salad		10
insegnante (m. e f.)	teacher, instructor		1
inserire	to insert		8
inverno	winter		3
isola	island, isle		9
istituto tecnico e commerciale	technical and commercial (high) school		12
istruzione (f.)	education		12
là	there		1
la mia compagna	my girlfriend, my (female) partner		0
la mia miglior amica	my best (female) friend		0
la mia ragazza	my girlfriend		0
largo	large, wide		10
latte (m.)	milk		5
lavandino	sink		4
lavorare	to work		0
lavoratore dipendente	employee		12
lavoro	job, work		12
leggermente	slightly		9
leggero	light		6

in italiano	in inglese	nella mia lingua	lezione
lento	slow		7
lettera	letter		3
lì	there		1
libero	free, empty		0
libero professionista (m.)	freelancer		12
libretto degli assegni	cheque book		8
libro	book		1
licenziare	to fire, to lay-off		12
liceo	high school		12
liceo artistico	high school (major: arts)		12
liceo classico	high school (major: humanities)		12
liceo scientifico	high school (major: sciences)		12
liceo linguistico	high school (major: foreign languages)		12
limone (m.)	lemon		10
lingua madre	mother tongue		12
lingua materna	mother tongue		12
locale (m.)	nightclub, club, pub, venue		5
luglio	July		3
luna	moon		9
lunedì	Monday		2
lungo	long		10
macchina	car		2
macchina fotografica	camera		7
madrelingua	mother tongue		12
maggio	May		3
malato	ill, sick		11
mandare	to send		3
mangiare	to eat		5
mano	hand		11
mansione (f.)	task		12
mare (m.)	sea		1
marito	husband		0
marmellata	jelly, jam		5
martedì	Tuesday		2
marzo	March		3
massimo	maximum		8
medicinale (m.)	drug, medicine		11
medico	doctor		1
mela	apple		10
melanzana	eggplant, aubergine		10
mercoledì	Wednesday		2
Meridione (m.)	Southern Italy		9
mescolare	to mix, to stir		6
messaggio	message		3
mestiere (m.)	profession		1

in italiano	in inglese	nella mia lingua	lezione
metro(politana)	subway, underground		2
mezza pensione	half board		3
mezzo	half		6
mezzi di trasporto	means of transportation		2
Mi dispiace.	I am sorry.		0
Mi raccomando!	Follow my advice!, Be careful!		11
Mi sento male.	I feel bad., I am ill/sick.		11
miele (m.)	honey		10
minimo	minimum		8
mittente (m.)	sender		8
moglie (f.)	wife		0
molto	very, a lot		0
mondo	world		8
monolocale (m.)	studio apartment/flat		4
montagna	mountain		11
muratore (m.)	painter		1
muscolo	muscle		11
naso	nose		11
negozio	shop, store		1
Non c'è male.	Not too bad.		0
Non importa.	It doesn't matter., Never mind.		2
nord (m.)	north		9
Nordamerica	North America		8
nord-est (m.)	northeast		9
nord-ovest (m.)	northwest		9
notte (f.)	night		3
novembre	November		3
occhio	eye		11
occupato	busy, occupied		0
olio	oil		6
operaio	(factory) worker		1
orario continuato	open all day		2
ore pasti	meal time		4
orecchio	ear		11
ostello	hostel		3
ottenere*	to obtain, to achieve		12
ottimo	very good, excellent		6
ottobre	October		3
ovest (m.)	west		9
pacchetto	pack, package		8
pagare	to pay		6
pane (m.)	bread		6
panino	sandwich		5
parrucchiera (f.)	hair dresser		12
parrucchiere (m.)	hair dresser		12

in italiano	in inglese	nella mia lingua	lezione
patata	potato		6
pensionato	pensioner, retiree		12
pensione	budget hotel		3
pensione completa	full board		3
pentola	pot		6
peperoncino	Chili pepper		10
peperone (m.)	pepper		10
Per che squadra tifi?	What is your favo(u)rite team?		9
per cortesia	please		4
periferia	outskirts, suburbs		12
permesso di soggiorno	permit to stay		12
però	but		4
pesante	heavy		6
pesca	peach		10
pesce (m.)	fish		6
pezzo	piece		10
piano interrato	basement, cellar		4
piano terra	ground floor		4
piatto	dish		6
piazza	square		2
piccolo	small		4
piede (m.)	foot		11
pieno	full		10
pioggia	rain		9
piovere	to rain		9
piscina	swimming pool		2
piselli (pl.)	peas		10
polenta	corn mush		5
pollo	chicken		10
poltrona	armchair		4
pomata	ointment, cream		11
ponte (m.)	bridge		5
porta	door		4
pranzo	lunch		3
Prego!	You're welcome., Please come in.		0, 1
prelevare (soldi)	to withdraw (money)		8
premere "invio"	to press "enter"		8
prendere il sole	to sunbathe		11
prescrivere	to prescribe		11
primavera	spring		3
primo	first course		6
primo piano	first floor		4
problema (m.)	problem, trouble		11
programmatore (m.)	(male) programmer		12
programmatrice (f.)	(female) programmer		12
Pronto?	Hello?		3

in italiano	in inglese	nella mia lingua	lezione
prosciutto	ham		5
qua	here		I
Quanti anni hai?	How old are you?		I
qui	here		I
radiografia	x-ray		II
raffreddore (m.)	cold		II
retribuzione (f.)	salary		12
ricarica	charge (card)		7
riposare	to rest		II
riscaldamento	heating		4
riso	rice		10
ristorante (m.)	restaurant		I
ritirare	to withdraw		8
rosso	red		5
rotto	broken		II
sabato	Saturday		2
sagra	feast		5
sale (m.)	salt		6
salire*	to get on, to go up		9
salumi (pl.)	cold cuts		5
Salve!	Hello!		0
sbagliato	wrong		8
scadenza	deadline		12
scarpe (pl.)	shoes		10
scatola	box		10
scatoletta	tin, can		10
scendere	to get off, to go down		9
scheda SIM	SIM card		7
scioperare	to go on strike		9
sciopero	strike		9
sciroppo	syrup		II
scuola	school		12
scuola elementare	elementary school		12
scuola media	middle school, junior high school		12
scuola superiore	(senior) high school		12
secondo	main course		6
sedia	chair		4
semaforo	traffic lights		5
semplice	easy, simple		8
sereno	sunny, clear		9
settembre	September		3
Settentrione (m.)	Northern Italy		9
signora	Mrs., Madam, lady		0
signore (m.)	Mister		0
sistemazione (f.)	accomodation		3

in italiano	in inglese	nella mia lingua	lezione
soggiorno	living room		4
soldi (pl.)	money		8
sole (m.)	sun		9
sorella	sister		0, 1
spalla	shoulder		11
specchio	mirror		4
sposato	married		1
spremuta	freshly squeezed juice		5
squadra	team		9
stabile	steady		9
stagionato	seasoned, ripened, aged		10
stampante (f.)	printer		7
stampare	to print		7
stampare a colori	to print in colo(u)r		7
stampare in bianco e nero	to print in black and white		7
stanchissimo	very tired		0
stanco	tired, sleepy		0
stasera	tonight		0
stazione (f.)	station		2
stella	star		3
stendersi	to lie down, to stretch out		11
stipendio	salary, wage		12
Sto male.	I feel bad., I am ill/sick.		11
strada	road, street		4
straniero	foreign, foreigner		12
strano	strange, odd, weird		11
straordinari (pl.)	overtime		12
stretto	tight		10
strisce (pedonali) (pl.)	pedestrian crossing		5
studente (m.)	(male) student		1
studentessa	(female) student		1
stupito	surprised		7
succo (d'arancia)	(orange) juice		3
sud (m.)	south		9
Sudamerica	South America		8
sud-est (m.)	southeast		9
sud-ovest (m.)	southwest		9
surgelato	frozen		10
taglia	size		10
tastiera	keyboard		7
tazza	cup		5
tazzina	small cup		5
tè (m.)	tea		5
tè freddo	ice tea		5
telefonare	to phone		7
telefonata	phone call		7

in italiano	in inglese	nella mia lingua	lezione
telefono	telephone		3
telefono fisso	landline		3
termosifone (m.)	heater		4
terrazzo	terrace		4
tessera mensile	monthly pass		9
tifare	to support		9
tifoso	supporter, fan		9
tinta unita	plain colo(u)r		10
tonno	tuna fish		10
tornare indietro	to make a U turn, to turn around		5
torta	cake, pie		5
tosse (f.)	cough		11
treno	train		0
Tutto bene?	Is everything all right?		0
Tutto OK.	Everything's fine.		0
ufficio postale	post office		8
un bel pezzo	a big piece		10
un paio	a pair		10
un po'	a little, a bit		0
università (f.)	college, university		12
uovo	egg		5
uva	grapes		10
Va bene!	OK!		2
valigia	suitcase		2
vasca (da bagno)	bath tub		4
vaschetta	tray		10
vecchio	old		7
veloce	fast		7
venerdì	Friday		2
Verso le 4.	At around 4.		2
vestito	dress		10
vetrina	shop window		10
Viene 70 euro.	It costs 70 Euros.		3
vino	wine		5
viso	face		11
vuoto	empty		10
water	w.c.		4
zucchina	zucchini, courgette		10
zuppa	soup		5

Soluzioni degli esercizi e trascrizioni dei brani audio

Lezione 0 – Primi contatti

Parli italiano?
1/c; 2/e; 3/b; 4/d; 5/a.

0a - Esercizi
2. 1/a; 2/b; 3/b; 4/a.
3. 1/F; 2/M; 3/M; 4/M; 5/F; 6/F.
4. 1/mia moglie; 2/Questo; 3/il; 4/Buonasera; 5/bene.

0b - Esercizi
2. 1/mio; 2/la tua; 3/mia; 4/il mio; 5/il tuo.
3.
Trascrizione:
◆ Ciao Roberta, come stai?
● Ciao Mario, bene, grazie. E tu, come stai?
◆ Sto bene, ma sono stanco.
● Ah, mi dispiace! ... Ti presento mia sorella Anna. E lui è Mario, un amico.
■ Ciao Mario.
◆ Ciao.
1/a; 2/b; 3/b; 4/a.
4. 1/molto bene; 2/bene; 3/male; 4/molto male.

0c - Chattare al telefono
1. Marta sta bene; 2. Cristiano sta bene, ma è molto stanco perché lavora molto; 3. Sì, stasera Marta è libera; 4. Marta e Cristiano si vedono stasera.

0c - Esercizi
1.
a.
◆ Ciao, Franco, come va?
● Bene, ma sono stanco.
b.

◆ Stasera sei libero?
● No, mi dispiace.
3. 1/F; 2/F; 3/V; 4/F; 5/V.
4. come, Tutto, sto, tu, Anch'io.

Lezione 1 – Fare conoscenza

Città del mondo
1/l; 2/a; 3/h; 4/e; 5/i; 6/g; 7/d; 8/b; 9/c; 10/f.

1a - Esercizi
2. 3, 2, 6, 4, 1, 5.
3. 1/b; 2/c; 3/e; 4/f; 5/a; 6/d.
4. 1/d; 2/f; 3/b; 4/c; 5/a; 6/e.

1b - Esercizi
2. 1/chiama; 2/vieni; 3/è; 4/chiamo; 5/lavoro; 6/sei.
3.
Trascrizione:
■ Ciao, sono Roberto.
● Ciao, e io sono Francesca. E lei è Stéphanie, un'amica.
◆ Ciao.
■ Ciao, Stéphanie. Tu non sei italiana, vero?
◆ No, sono francese, ma mio marito è italiano. E tu da dove vieni, Roberto?
■ Da Parma. Ma anche tu Francesca non sei di qui, vero?
● Sì, è vero, io vengo da Bari.
■ Oh, che bella città!
1/b; 2/a; 3/a.
4. 1/b; 2/a; 3/b; 4/b; 5/a.

1c - Uno scambio di lingua
1. Rosa ha 24 anni; 2. Lavora in un ristorante messicano; 3. Di giorno studia inglese e italiano; 4. No, Rosa parla anche portoghese; 5. Nel weekend va al mare, legge libri o vede sua sorella Pilar.

1c - Esercizi
1. 1/V; 2/F; 3/F; 4/F; 5/F.
3. 1/Mi chiamo Rosa e sono spagnola; 2/Lavoro in un ristorante; 3/Abito con un'amica brasiliana; 4/Nel weekend vado al mare.
4. 1/italiano; 2/un; 3/messicano; 4/va; 5/di; 6/ha.
5. 1/ho; 2/studio; 3/Abito; 4/leggo; 5/Cerco.

Lezione 2 – In giro

Geografia italiana
Piemonte/Torino; Lombardia/Milano; Trentino Alto Adige/Trento; Veneto/Venezia; Emilia Romagna/Bologna; Lazio/Roma; Sardegna/Cagliari; Sicilia/Palermo; Toscana/Firenze; Campania/Napoli.

2a - Esercizi
2. 1/abbiamo; 2/arriviamo; 3/va; 4/Deve; 5/Chiediamo; 6/parte.
3. 1/Dieci meno tre uguale sette; 2/Sette più due uguale nove; 3/Dodici meno nove uguale tre; 4/Otto più tre uguale undici; 5/Cinque meno quattro uguale uno; 6/Uno più sei uguale sette; 7/Dieci meno cinque uguale cinque; 8/Due più otto uguale dieci; 9/Quattro più uno uguale cinque; 10/Tre meno due uguale uno; 11/Undici più uno uguale dodici; 12/Sette meno sei uguale uno.

4. 1/Sono le tre e quaranta - le quattro meno venti; 2/Sono le sette e un quarto - e quindici; 3/Sono le quattro e quarantacinque - e tre quarti - le cinque meno un quarto; 4/Sono le cinque; 5/ Sono le dodici - È mezzogiorno; 6/È l'una e mezza - e trenta; 7/Sono le due e quarantacinque - e tre quarti - le tre meno un quarto; 8/È mezzanotte; 9/Sono le undici e un quarto - e quindici; 10/Sono le sei e mezza - e trenta; 11/Sono le otto e quarantacinque - e tre quarti - le nove meno un quarto; 12/Sono le dieci.

2b - Esercizi

2. 4, 2, 6, 3, 1, 5.

3. Trascrizione:

♦ Buongiorno, mi scusi. Sa dov'è l'ufficio informazioni?

● Sì, ma a piedi è un po' lontano. Può prendere l'autobus, il numero 37, la fermata è lì, vede?

♦ Ah, va bene. Ma sono le sei e mezza, è ancora aperto?

● Sì, sì, è aperto, non si preoccupi!

♦ Ah, va bene. Grazie mille.

● Di niente!

1/a; 2/a; 3/b.

4. 2/Per andare in piazza del Duomo, deve prendere un taxi; 3/Per andare a Milano, deve prendere il treno; 4/Per andare a Firenze, deve prendere l'autobus; 5/Per andare in piazza Garibaldi, deve prendere la metro; 6/Per andare a Perugia, deve prendere la macchina.

2c - Orari di apertura e chiusura

1. La piscina e la metropolitana; 2. La banca chiude per la pausa pranzo; 3. La piscina, la banca e la metropolitana cambiano orario il sabato.

2c - Esercizi

1. 1/lunedì; 2/martedì; 3/mercoledì; 4/giovedì; 5/venerdì; 6/sabato; 7/domenica.

2. 1/F; 2/F; 3/V; 4/F; 5/V.

3. 1/dal, al; 2/dal, al; 3/dalla, al; 4/dal, alla; 5/dal, al

Lezione 3 – Cercare una camera

3a - Esercizi

2. 1/stanze; 2/giorni; 3/notti; 4/stelle; 5/telefoni; 6/studenti; 7/indirizzi; 8/fratelli; 9/camere; 10/ore; 11/pensioni; 12/fermate.

3. 2/Quanto costa l'albergo? – Costa 70 euro a notte; 3/Quanto costa l'albergo? – Costa 49 euro a notte; 4/Quanto costa l'albergo? – Costa 84 euro a notte; 5/Quanto costa l'albergo? – Costa 32 euro a notte; 6/Quanto costa l'albergo? – Costa 51 euro a notte; 7/Quanto costa l'albergo? – Costa 18 euro a notte; 8/Quanto costa l'albergo? – Costa 23 euro a notte; 9/Quanto costa l'albergo? – Costa 66 euro a notte; 10/Quanto costa l'albergo? – Costa 40 euro a notte; 11/Quanto costa l'albergo? – Costa 40 euro a notte; 12/Quanto costa l'albergo? – Costa 37 euro a notte.

4. 1/albergo; 2/singola; 3/quanti; 4/centro; 5/dare; 6/caro.

3b - Esercizi

2. 1/a-elle-bi-a-erre-o-acca-erre-doppia vu-a-ci-acca-e-erre; 2/pi-a-o-elle-o-vu-i-erre-zeta-i; 3/ci-a-erre-o-elle-i-enne-a-kappa-o-esse-ti-enne-e-erre; 4/i-gi-a-bi-a-esse-ci-e-gi-o; 5/elle-i-enne-a-doppia vu-e-erre-ti-emme-u-elle-e-erre; 6/emme-a-elle-i-kappa-a-a-ipsilon-a-enne-e; 7/gi-a-di-elle-e-erre-enne-e-erre; 8/e-di-o-a-erre-di-o-doppia vu-i-enne-esse-pi-e-a-erre-e.

3. 2/Vorrei prenotare una camera dal 9 all'11 settembre; 3/Vorrei prenotare una camera dal 17 al 20 aprile; 4/Vorrei prenotare una camera dal 25 al 27 ottobre; 5/Vorrei prenotare una camera dal 13 al 14 febbraio; 6/Vorrei prenotare una camera dal 21 al 29 luglio; 7/Vorrei prenotare una camera dal 23 al 26 novembre; 8/Vorrei prenotare una camera dal primo al 12 agosto; 9/Vorrei prenotare una camera dal 16 al 24 maggio; 10/Vorrei prenotare una camera dal 19 al 22 marzo; 11/Vorrei prenotare una camera dal 27 al 30 settembre; 12/Vorrei prenotare una camera dal 28 al 31 gennaio.

4.
Trascrizione:

♦ Albergo Bellavista, buonasera.

● Buonasera, cerco una camera singola dal dodici agosto.

♦ Per quante notti?

● Quattro, fino al sedici agosto. Quanto costa a notte?

♦ Ottanta euro.

● Va bene, la prendo. Mi chiamo De Marco. Mi può mandare la conferma per e-mail?

♦ Certo…

1/a; 2/b; 3/b.

3c - Una pensione a Roma

1. La pensione "Panda" è molto comoda perché si trova nel centro storico di Roma; 2. Offre colazione all'italiana,

connessione wi-fi e aria
condizionata; 3. È possibile
prenotare una camera per
telefono, per e-mail o per fax;
4. La differenza è di 40 euro.

3c - Esercizi

1. 1/colazioni; 2/cornetti;
3/centri; 4/piazze; 5/connessioni;
6/cappuccini; 7/mari; 8/cellulari;
9/stazioni; 10/signori.
2. 1/F; 2/F; 3/V; 4/V; 5/F.
3. si trova, storico, posizione,
visitare, fare, possibile.
5. 1/nel; 2/dalle, alle; 3/a; 4/per;
5/da.

3 - Cultura e civiltà

1. Romania; 2. Albania;
3. Marocco; 4. Cina; 5. Ucraina

Lezione 4 – Vacanze in appartamento

In casa

4a - Esercizi

2. 1/b; 2/a; 3/b; 4/a.
3. 1/c; 2/e; 3/a; 4/d; 5/b.
4. 2/Ho una prenotazione per
una camera al quinto piano, per
tre notti; 3/Ho una prenotazione
per una camera al primo
piano, per sei notti; 4/Ho una
prenotazione per una camera al
quarto piano, per quattro notti;
5/Ho una prenotazione per una

camera al quarto piano, per due
notti; 6/Ho una prenotazione per
una camera al sesto piano, per
cinque notti.

4b - Esercizi

2. 2/La camera non ti piace?;
3/Non voglio una camera grande;
4/La camera da letto non è al
primo piano; 5/Non c'è acqua
calda; 6/La casa non è in una
strada tranquilla.
3.
Trascrizione:
◆ Pronto.
● Pronto, chiamo dalla camera 32.
◆ Mi dica.
● La camera non mi piace, ne
avete una più grande?
◆ No, purtroppo per oggi non è
possibile.
● Ah, va bene. Però qui il
riscaldamento non funziona, e
non c'è acqua calda.
◆ Non si preoccupi, mando subito
qualcuno.
1/b; 2/a; 3/b; 4/b
4. 1/b; 2/b; 3/a

4c - Esercizi

1. 1/F; 2/F; 3/F; 4/V; 5/V
2. 1/al, da; 2/di, dal, senza
3. 1/c; 2/a; 3/f; 4/e; 5/d; 6/b

4 - Cultura e civiltà

1/condominio; 2/mansarda;
3/seminterrato; 4/villetta
monofamiliare

Ripasso 1

1. 1/e; 2/h; 3/b; 4/g; 5/c; 6/f; 7/d;
8/a
2. 1/Piacere!; 2/Prego, benvenuti!;
3/Buone vacanze!; 4/Pronto?
Ciao, sono Leo.

3. 1/da; 2/vogliamo; 3/lo; 4/piace;
5/suo; 6/dal
4. 1/freddo; 2/piccolo; 3/occupato;
4/divorziato; 5/chiuso

Lezione 5 – Al bar

5a - Esercizi

3. 2/Lunedì prossimo c'è il
Festival del cinema di Roma?;
3/Oggi c'è la sagra del cioccolato?;
4/Domani c'è la festa della
birra?; 5/Stasera c'è il festival
dell'Opera?; 6/A ottobre c'è la
sagra del vino?
4. 1/Non mi piacciono; 2/Ci piace;
3/Ti piace; 4/ti piace; 5/Mi piace

5b - Esercizi

2. teatro, centro, esatto, dritto,
sinistra, mille
3.
Trascrizione:
◆ Buongiorno.
● Buongiorno.
◆ Un caffè, per favore.
● Ecco a Lei.
◆ Mi scusi, questa settimana c'è
la sagra degli gnocchi, vero?
● Sì, sì.
◆ È in piazza Dante? Come
sempre?
● No, no. Quest'anno è in Piazza
Garibaldi.
◆ Piazza Garibaldi… È lontano da
qui?
● No, è vicino. Da qui gira a
destra in via Dante, va sempre
dritto…
1/b; 2/b; 3/b
4. 1/d; 2/b; 3/e; 4/a; 5/c

5c - Esercizi

1. 1/c; 2/e; 3/d; 4/a; 5/b
2. 2/Loro mangiano uno yogurt;
3/Noi compriamo una torta;

4/Voi ordinate un cappuccino;
5/Voi mangiate una brioche;
6/Loro ordinano un tè
3. 1/cald**a**; 2/italian**i**; 3/tipic**a**,
italian**a**; 4/buon**i**; 5/grand**i**;
6/buon**a**, ross**i**
4. è, Beviamo, mangiamo, piace,
piace, c'è
5. 1/Mi piace; 2/Mi piacciono;
3/mi piace; 4/Mi piacciono;
5/mi piace; 6/Mi piace

5 - Cultura e civiltà
1/d; 2/a; 3/e; 4/b; 5/c

Lezione 6 – Al ristorante

6a - Esercizi
2. 1/b; 2/a; 3/a
3. 2/♦ Cosa mi consiglia da
bere? ● Le consiglio il bianco
della casa; 3/♦ Cosa mi consiglia
come primo? ● Le consiglio i
ravioli; 4/♦ Cosa mi consiglia
come secondo? ● Le consiglio
il pollo con le patate; 5/♦ Cosa
mi consiglia come pizza? ● Le
consiglio la margherita.
4. 1/b; 2/d; 3/e; 4/a; 5/c

6b - Esercizi
2. 1/c; 2/e; 3/a; 4/f; 5/d; 6/b
3.
Trascrizione:
♦ Buonasera.
● Buonasera, un tavolo per uno,
per favore.
♦ Va bene qui?
● Benissimo. Prendo solo un
primo, cosa mi consiglia?
♦ Di primo abbiamo spaghetti al
pesto o fettuccine al ragù.
● Ah no, le fettuccine no...
Sono vegetariano. Prendo gli
spaghetti.
♦ E da bere?

● Un bicchiere di vino, per favore.
♦ Bianco o rosso?
● Rosso, per favore.
1/a; 2/a; 3/a; 4/b
4. 2/In questo ristorante... la
carbonara è molto buona
→ buonissima!; 3/In questo
ristorante... le linguine sono
molto buone → buonissime!;
4/In questo ristorante... i secondi
sono molto cari → carissimi!;
5/In questo ristorante... i
tavoli sono molto piccoli →
piccolissimi!; 6/In questo
ristorante... i camerieri sono
molto gentili → gentilissimi!;

6c - Esercizi
1. 1/sul; 2/nella; 3/sul; 4/nei;
5/nella
2. 1/F; 2/V; 3/F; 4/F
3.

1. sbucciare   2. cuocere

3. versare   4. tagliare

5. sbattere   6. lavare

6 - Cultura e civiltà
1/b; 2/d; 3/a; 4/c

Lezione 7 – Rimanere in contatto

Indirizzi elettronici
chiocciola @; trattino -; trattino
basso _; punto .; barra /

7a - Esercizi
2. 3, 5, 1, 6, 4, 2
3. 1/e; 2/c; 3/d; 4/b; 5/a
4. 1/Quanto costa stampare a
colori?; 2/Stampare costa dieci
centesimi per pagina;
3/Il computer non funziona, può
aiutarmi?; 4/Per collegare la
fotocamera deve avere un cavo.

7b - Esercizi
2. 1/d; 2/f; 3/a; 4/b; 5/c; 6/e
3.
Trascrizione:
♦ Buongiorno, vorrei comprare
una scheda SIM.
● Certo...
♦ Vorrei sapere se c'è un canone
fisso.
● No, no. Le telefonate costano 18
centesimi al minuto.
♦ E gli sms?
● Un sms costa 5 centesimi.
1/a; 2/b; 3/b
4. 1/c; 2/d; 3/e; 4/a; 5/b

7c - Esercizi
1. 1/F; 2/V; 3/F; 4/V; 5/V
2. 1/b; 2/e; 3/a; 4/c; 5/d
3. 1/negli, sui; 2/nella; 3/con; 4/nel
4. soluzione possibile:

Ciao Stefano, stasera ci
vediamo alla festa?

Ciao Patrizia! Vieni anche
tu? **Ottimo** !

Sì, oggi pomeriggio studio
(**nooooo**) e poi vengo!

Perfetto 👍 !

È la festa dell'anno,
devo venire!

Ah ah ah 😊 , giusto! Allora a
domani, **un bacio grande** 😊 !

7 - Cultura e civiltà

112 Carabinieri/2; 113 Polizia di Stato/4; 115 Vigili del fuoco/3; 118 ambulanza/1

Lezione 8 – In banca e alla posta

Servizi e prodotti bancari e postali

b. carta di credito; g. soldi

8a - Esercizi

2. 1/pagare; 2/dovrebbe; 3/è; 4/Sono; 5/bloccato

3. 1/c; 2/d-f; 3/a; 4/e-b; 5/f-d; 6/b-e

4. 1/a; 2/b; 3/a; 4/b

8b - Esercizi

2. 1/dormito; 2/digitato; 3/preferito; 4/saputo; 5/lavorato; 6/chiamato; 7/cercato; 8/dovuto; 9/avuto; 10/mangiato

3.
Trascrizione:
♦ Buonasera, mi dica!
● Buonasera. Vorrei spedire questo pacchetto.
♦ Celere o ordinario?
● Ordinario, grazie. Ho anche bisogno di un francobollo per una cartolina.
♦ Ecco a lei. Sono 9 euro e 70.
1/b; 2/b; 3/b; 4/a

4. 1/spedito; 2/comprato; 3/pagato; 4/inserito, premuto

8c - Spedire pacchi all'estero

1. Express Mail Service oppure Pacco Celere internazionale oppure Pacco Ordinario estero;
2. Non è possibile spedire pacchi di peso superiore a 30 chili;
3. Express Mail Service;
4. QuickPack Europe

8c - Esercizi

1. 1/d; 2/a; 3/b; 4/c
2. 1/F; 2/F; 3/V; 4/V
3. Oggi puoi spedire i **tuo tuoi** pacchi in Europa e nel resto del mondo e controllare lo stato della **tue tua** spedizione via Internet!
4. 1/all'estero; 2/rapidi; 3/semplice, economico

Ripasso 2

1. 1/antipasti; 2/primi; 3/secondi; 4/contorni; 5/dolci
2. 1/c; 2/e; 3/f; 4/a; 5/d; 6/b
3.

 attenzione: traversa;

 andare dritto;

 tornare indietro;

 girare

4. 1/ci sono; 2/nostro; 3/gli; 4/C'è; 5/Preferisci; 6/piace; 7/Pagate; 8/la vostra

Lezione 9 – In viaggio

9a - Esercizi

2. 2/Come faccio ad arrivare al porto?; 3/Come faccio ad arrivare da Paolo?; 4/Come faccio ad arrivare alla pensione?; 5/Come faccio ad arrivare al ristorante "Mareblù"?; 6/Come faccio ad arrivare allo stadio?; 7/Come faccio ad arrivare allo zoo?; 8/Come faccio ad arrivare al mare?; 9/Come faccio ad arrivare al cinema?; 10/Come faccio ad arrivare all'albergo "Dolce vita"?; 11/Come faccio ad arrivare al mercato?; 12/Come faccio ad arrivare dal dottore?

3. 1/Per arrivare in stazione **deve prendere la metro fino alla fermata** "Termini"; 2/Fa tre fermate **e scende a** "Colosseo"; 3/Prende la metro in direzione "Anagnina" e scende alla stazione centrale: da lì **c'è un treno per l'aeroporto.**

4. 1/giornaliero; 2/abbonamento; 3/fino; 4/deve; 5/fermate; 6/linea

5.

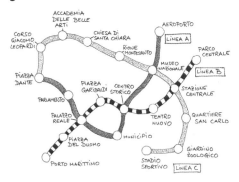

9b - Esercizi

2. 1/b; 2/e; 3/a; 4/f; 5/d; 6/c
3.
Trascrizione:
♦ Scusi, è libero?
● Sì, prego. Dove La porto?
♦ All'aeroporto, per favore. Mamma mia, come piove!
● Parte già? Non Le piace Milano?
♦ Sì sì, mi piace molto. Ma devo tornare al lavoro, a Berna.
● Ah, è svizzero?
♦ No, veramente sono italiano, ma vivo e lavoro lì.
● Ah, e che lavoro fa?
♦ Sono giornalista.
● E Le piace il calcio?
♦ Veramente...

● Io tifo per l'Inter, per me il calcio è tutto…
1/a; 2/b; 3/a; 4/a

4. 1/ho portato; 2/compro; 3/chiamiamo; 4/hanno lavorato; 5/ha trovato

9c - Le previsioni del tempo
soluzione possibile:

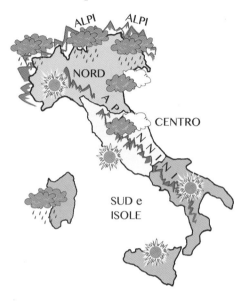

9c - Esercizi
1. 1/e; 2/c; 3/d; 4/a; 5/b
2.

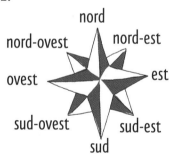

3. 1/sulle; 2/in; 3/a; 4/in; 5/sugli; 6/in
4. soluzione possibile: Molto nuvoloso su quasi tutta la regione. Sereno a ovest e nella parte meridionale. Possibilità di pioggia a nord e sulle isole Eolie.

9 - Cultura e civiltà
1. Colosseo; 2. scavi di Pompei; 3. Galleria degli Uffizi; 4. Galleria dell'Accademia; 5. Castel Sant'Angelo

Un mondo di colori!
1. pomodori; 2. prugne; 3. melone; 4. funghi; 5. albicocche

10a - Esercizi
2. 2/b; 2/a; 3/b; 4/a
3. 2/Prendo quattro etti di funghi, per favore; 3/Prendo mezzo chilo di prugne, per favore; 4/Prendo due chili di pomodori; 5/Prendo tre chili di patate; 6/Prendo due etti di parmigiano
4. 1/f; 2/e; 3/d; 4/c; 5/a; 6/b

10b - Esercizi
2. 1/questa; 2/questo; 3/queste; 4/questa; 5/Questi
3.
Trascrizione:
♦ Buongiorno, vorrei vedere quella giacca in vetrina.
● Quella gialla?
♦ No, no, quella verde.
● Bene, che taglia porta?
♦ La 46.
● Ecco a Lei, se vuole provarla il camerino è lì.
♦ Grazie…
(…)
● Allora, come Le sta?
♦ Veramente è un po' stretta. Avete una taglia più grande?
1/b; 2/a; 3/b; 4/a
4. 1/b; 2/a; 3/b; 4/a

10c - La lista della spesa
1. Perché deve andare dal medico; 2. Perché stasera Ilaria e Valerio vanno a cena a casa di Antonella e Federica; 3. Stasera cucina Antonella; 4. pesce

10c - Esercizi
1. 1/c; 2/a; 3/c; 4/c; 5/a
2. 2/Domani devo andare dal dentista e non ho tempo per fare la spesa; 3/Stamattina devo andare in banca e non ho tempo per fare la spesa; 4/Più tardi devo andare in stazione e non ho tempo per fare la spesa; 5/Martedì devo andare da mio fratello e non ho tempo per fare la spesa; 6/Dopo devo andare alla posta e non ho tempo per fare la spesa
3. 1/arancione; 2/verde; 3/giallo; 4/bianco; 5/rosso

In caso di malattia
1/b; 2/a; 3/d; 4/c

11a - Esercizi
2. aspirina®, sintomi, testa, febbre, medicinale, volte
3. 1/la testa; 2/pancia, denti; 3/nausea; 4/denti, pancia
4. 1/bevuto; 2/detto; 3/preso; 4/fatto, letto

11b - Esercizi
2.
Trascrizione:
♦ Buongiorno, non mi sento bene. Può darmi qualcosa?
● Certo. Che sintomi ha esattamente?
♦ Mi sento molto male. Ho mal di testa e la nausea.
● Ha mangiato qualcosa di strano?
♦ Beh, ieri sono stato al ristorante e ho mangiato degli spaghetti alle vongole.
● Allora probabilmente è un'indigestione. Le do questo

medicinale. Lo deve prendere
due volte al giorno e mangiare
leggero.
1/a; 2/b; 3/a

3. 1/sono venute; 2/sei tornato;
3/sono stato; 4/Siete andate;
5/Siamo partiti; 6/ha preso

4. 1/d; 2/c; 3/b; 4/e; 5/a

11c - Farmaci: istruzioni per l'uso

1. 1/sì; 2/no; 3/dipende; 4/sì;
5/sì; 6/sì

11c - Esercizi

1. 1. viso: naso, bocca, occhi;
2. gamba: piede, caviglia,
ginocchio

2. ho avuto, ho preso, ha aiutato,
ho dormito, ha funzionato

3. per esempio, in due o tre volte,
In caso di, Per i pazienti, al di
sotto dei

Lezione 12 – Cercare lavoro

Contratti di lavoro
1/stagionale; 2/a tempo
determinato; 3/a tempo
indeterminato; 4/a progetto

12a - Esercizi

2. 1/e; 2/a; 3/a; 4/c; 5/d

3. 1/grande; 2/interessante;
3/peggiori; 4/veloce; 5/migliore

4.
● Buongiorno signora, vorrei
qualche informazione sulla
vostra offerta di lavoro.
♦ Certo. Sulla posizione a Roma o
a Frascati?
● Su ~~entrambi~~ **entrambe** le
offerte.
♦ A Frascati la retribuzione
è ~~migliori~~ **migliore**, ma
il contratto è a tempo

---

determinato. Può inviare il Suo
curriculum e indicare nell'e-mail
la posizione che preferisce.

12b - Esercizi

2. accomodi, dica, Aspetti,
spieghi, Stia

3. 1/Legga; 2/Dorma; 3/Vada;
4/Venga; 5/Faccia

4. 1/e; 2/c; 3/d; 4/b; 5/a

12c - Il *curriculum vitae*

1. 1/Informazioni personali;
2/Istruzione e formazione;
3/Esperienza professionale;
4/Lingue straniere; 5/Altre
informazioni

12c - Esercizi

1. 1/d; 2/d; 3/b; 4/e; 5/c; 6/a

2. 1/c; 2/e; 3/d; 4/b; 5/a

3. 1/c; 2/d; 3/e; 4/b; 5/a

4. 1/F; 2/F; 3/V; 4/F; 5/F

Ripasso 3

1. 1/verde; 2/giallo; 3/arancione;
4/rosso; 5/rosso; 6/bianco

2. 1/ho bevuto; 2/hai scritto;
3/hanno mangiato; 4/ha dormito;
5/abbiamo capito; 6/è tornata;
7/siete andati; 8/è partito;
9/sono venute; 10/sono stata

3. 1/f; 2/e; 3/d; 4/a; 5/b; 6/c

4. 1/e; 2/d; 3/a; 4/f; 5/c; 6/b

5. Vado… **a** casa; **al**
supermercato/parco/ristorante;
in farmacia/ufficio/casa; **da**
Pietro/mio fratello; **dal** medico.

Grammatica

1. Suoni e scrittura

1.1 Alfabeto e spelling

				lettere straniere
a (a) come Ancona	**g** (gi) come Genova	**o** (o) come Otranto	**u** (u) come Udine	**j** (i lunga)
b (bi) come Bari	**h** (acca) come hotel	**p** (pi) come Palermo	**v** (vu) come Venezia	**k** (cappa)
c (ci) come Como	**i** (i) come Imola	**q** (cu) come quadro	**z** (zeta) come Zorro	**w** (doppia vu)
d (di) come Domodossola	**l** (elle) come Livorno	**r** (erre) come Roma		**x** (ics)
e (e) come Empoli	**m** (emme) come Milano	**s** (esse) come Savona		**y** (ipsilon)
f (effe) come Firenze	**n** (enne) come Napoli	**t** (ti) come Torino		

1.2 Pronuncia

		=	esempio			=	esempio
vocali accentate		forte enfasi	città, perché, così, può, più	**a**	+ u	[ɑ] + [u]	autobus
e (congiunzione)		[é]	Carlo e Lucia	**è** (verbo *essere*)		[ɛ]	Ugo è a casa.
c	+ a, o, u	[k]	casa, cuoco	**c**	+ e, i	[tʃ]	piacere, cinque
c	+ h	[k]	chiamare	**ci**	+ a, o, u	[tʃ]	ciao, calcio
g	+ a, o, u	[g]	pagare, lungo, gusto	**g**	+ e, i	[dʒ]	Genova, girare
g	+ h	[g]	spaghetti	**gi**	+ a, e, o, u	[dʒ]	Gianni, valigie, giovane, giusto
gu	+ a, e, i	[gw]	lingua, lingue, linguistico	**gl**	+ i	[λ]	figlio
gn		[ɲ]	bagno	**h**	a inizio parola	Ø	ha, hotel
s	tra due vocali	[z]	scusi, cosa, casa	**sc**	+ a, o, u	[sk]	scatola, fresco, scusa
sc	+ e, i	[ʃ]	pesce, piscina	**sch**	+ e, i	[sk]	scheda, maschile
sci	+ a, e, o, u	[ʃ]	coscia, scienza, sciopero, prosciutto	**qu**	+ a, e, i	[kw]	quasi, quello, qui
z	+ ia, ie, io (dentro la parola)	[tʃ]	anziano, grazie, stazione	**z**	in -azza, -ezza	[tʃ]	piazza, fierezza

1.3 Intonazione

In italiano la costruzione interrogativa è generalmente identica a quella enunciativa. La differenza si capisce attraverso la melodia della frase (che sale nelle domande):

Lavori il sabato.

Lavori il sabato?

2 Sostantivi

	singolare	plurale	regola di formazione
maschile	treno	treni	o → i
	pesce	pesci	e → i
	caffè	caffè	vocale finale accentata: nessuna variazione
	hotel	hotel	parola straniera: nessuna variazione
	problema	problema	parola in -a: nessuna variazione[1]
femminile	scuola	scuole	a → e
	nave	navi	e → i
	città	città	vocale finale accentata: nessuna variazione
	star	star	parola straniera: nessuna variazione
	moto	moto	abbreviazione con vocale finale (motocicletta): nessuna variazione[2]

[1]schema, programma, ecc.
[2]bici(cletta), foto(grafia), auto(mobile), metro(politana), ecc.
I sostantivi che finiscono in -sione/-zione sono generalmente femminili.

Plurali irregolari:
- mano ♀ → mani
- parole maschili al singolare, femminili al plurale: braccio → braccia, ginocchio → ginocchia, orecchio → orecchie, paio → paia, uovo → uova

Mestieri: forme maschili e femminili

maschile	femminile
cuoco	cuoca
dottore	dottoressa
scrittore	scrittrice
(il) giornalista	(la) giornalista
avvocato[3]	avvocato[3]

[3]Hanno un'unica forma (maschile): medico, architetto, meccanico

Altre particolarità

	singolare	plurale	regola di formazione
maschile	parco	parchi	parola in -co con accento sulla penultima sillaba[4]
	medico	medici	parola in -co con accento sulla terzultima sillaba
	albergo	alberghi	parola in -go con accento sulla penultima sillaba
	negozio	negozi	parola in -io
	zio	zii	parola in -io con accento sulla i
femminile	amica	amiche	parola in -ca con accento sulla penultima sillaba
	camicia	camicie	parola in -cia preceduta da vocale
	guancia	guance	parola in -cia preceduta da consonante
	farmacia	farmacie	parola in -cia con accento sulla i
	valigia	valigie	parola in -gia preceduta da vocale
	spiaggia	spiagge	parola in -gia preceduta da consonante

[4]Eccezione: amico → amici

3 Articoli

3.1 Articoli indeterminativi

	la parola inizia con:	
maschile	consonante	**un** pesce
	vocale	**un** amico
	s + consonante	**uno** specchio
	z	**uno** zio
	ps	**uno** psicologo
	y	**uno** yogurt
femminile	consonante	**una** porta
	vocale	**un'**amica

3.2 Articoli determinativi

	la parola inizia con:	singolare	plurale
maschile	consonante	**il** pesce	**i** pesci
	vocale	**l'**amico	**gli** amici
	s + consonante	**lo** specchio	**gli** specchi
	z	**lo** zio	**gli** zii
	ps	**lo** psicologo	**gli** psicologi
	y	**lo** yogurt	**gli** yogurt
femminile	consonante	**la** porta	**le** porte
	vocale	**l'**amica	**le** amiche

Attenzione: l'Italia, l'Austria, **il** Brasile, **la** Cina, ecc.
ma: Vado <u>in</u> Cina., Abito <u>in</u> Brasile., ecc. (senza articolo)

3.3 Articolo partitivo

La preposizione *di* seguita dall'articolo determinativo indica una quantità indefinita (= *un po' di*):
Ho comprato **del** formaggio., Conosco **dei** ragazzi italiani., Mi dia **delle** pesche gialle., Vorrei **dell'**acqua.

4 Aggettivi

4.1 Forme

Generalmente gli aggettivi seguono il sostantivo, anche se sono più di uno: Un ristorante **piccolo** ed **economico**.
Concordano sempre in genere e numero con il sostantivo al quale si riferiscono.
Le nazionalità non presentano particolarità.

	singolare	plurale
maschile	il museo **famoso**	i musei **famosi**
	il bambino **felice**	i bambini **felici**
	l'amico **argentino**	gli amici **argentini**
	il ristorante **giapponese**	i ristoranti **giapponesi**
femminile	la scuola **lontana**	le scuole **lontane**
	la città **interessante**	le città **interessanti**

I colori funzionano come normali aggettivi (concordano con i sostantivi), a eccezione di alcuni colori invariabili:
delle scarpe **viola**, due vestiti **rosa**, i miei pantaloni **blu**

Particolarità

	singolare	plurale	regola di formazione
maschile	un palazzo anti**co** un bar ti**pi**co	dei palazzi anti**chi** due bar ti**pi**ci	parola in -*co* con accento sulla penultima sillaba parola in -*co* con accento sulla terzultima sillaba
femminile	una ragazza tedes**ca**	tre ragazze tedes**che**	

4.2 Aggettivi possessivi

maschile				femminile			
il mio		i miei		la mia		le mie	
il tuo		i tuoi		la tua		le tue	
il suo	–amico	i suoi	–amici	la sua	–amica	le sue	– amiche
il nostro		i nostri		la nostra		le nostre	
il vostro		i vostri		la vostra		le vostre	
il loro		i loro		la loro		le loro	

Con i sostantivi riferiti alla famiglia non si usa l'articolo: mia madre, suo fratello, nostro zio, ecc.
Eccezione: il loro cugino, **la** loro sorella, ecc.
Al plurale l'articolo si usa sempre: **i** miei zii, **le** tue cugine, ecc.

Suo si utilizza anche per la forma di cortesia: Signora Martini, qual è il **Suo** indirizzo?

4.3 Aggettivi dimostrativi

Questo indica persone o oggetti vicini a chi parla. *Quello* indica persone o oggetti lontani da chi parla.

	singolare	plurale
maschile	**questo** divano	**questi** divani
femminile	**questa** strada	**queste** strade

singolare	plurale	parola che inizia con:
quel vestito **quell'**albero **quello** specchio	**quei** vestiti **quegli** alberi **quegli** specchi	consonante vocale s + consonante, z, ps, y
quella macchina **quell'**isola	**quelle** macchine **quelle** isole	consonante vocale

4.4 Gradi dell'aggettivo

4.4.1 Comparativi

I comparativi servono a fare paragoni tra cose o persone. Nel comparativo di maggioranza e minoranza il secondo termine di paragone è introdotto dalla preposizione *di*.

comparativo di maggioranza (+)	comparativo di minoranza (-)	comparativo di uguaglianza (=)
Tu sei **più giovane di** Carla.	Quel vestito è **meno caro di** questo.	Casa tua è **grande come** la mia.

Forme irregolari: buono → più buono/**migliore**, cattivo → più cattivo/**peggiore**

4.4.2 Superlativo assoluto

Il superlativo assoluto esprime il grado massimo di una qualità. Si può formare in due modi.

	molto + aggettivo	*radice dell'aggettivo + issimo*	esempi
bello buono grande	molto bello molto buono molto grande	bello → bell**issimo** buono → buon**issimo** grande → grand**issimo**	Che casa **bellissima**! Questi gnocchi sono **buonissimi**! Ida e Ugo sono **stanchissimi**.

5 Avverbi (forme in -*mente*)

aggettivo		avverbio	-*mente* si aggiunge:	esempi
chiaro	chiara	chiar**amente**	all'aggettivo femminile	Perché non parli **chiaramente**?
veloce		veloce**mente**	alla forma base dell'aggettivo	Luisa cammina molto **velocemente**.
norm**ale**	normal-	normal**mente**	all'aggettivo senza la -*e* finale	**Normalmente** la sera resto a casa.
regol**are**	regolar-	regolar**mente**	all'aggettivo senza la -*e* finale	Pratico sport **regolarmente**.

6 Pronomi personali

6.1 Pronomi soggetto

singolare			plurale		
io	tu	lui/lei/Lei	noi	voi	loro

Generalmente questi pronomi sono omessi. Si usano essenzialmente per dare enfasi, sottolineare differenze o quando non c'è il verbo, per es.: Sono di Genova. ≠ **Io** sono di Genova, e **tu**?

Il pronome *Lei* si usa per la forma di cortesia, anche con gli uomini: Signor Veroli, **Lei** è di Firenze, vero?

6.2 Pronomi diretti

singolare			plurale		
mi	ti	lo/la/La	ci	vi	li/le

I pronomi diretti concordano in genere e numero con il nome che sostituiscono e si trovano prima del verbo:
- ● Hai chiamato Tiziano? ◆ No, **lo** chiamo domani.

Possono anche sostituire una frase:
- ● Che ore sono? ◆ Non **lo** so.

Attenzione: con i verbi modali *dovere*, *potere* e *volere* + infinito, i pronomi diretti si trovano o prima del verbo coniugato, o dopo l'infinito (con cui formano un'unica parola): **Mi** devi aiutare = Devi aiutar**mi**., Posso aiutar**ti**? = **Ti** posso aiutare?

6.3 La particella pronominale *ne*

Ne sostituisce la quantità di una cosa nominata in precedenza:
- ● Vorrei **del formaggio**.
- ◆ Quanto **ne** vuole? (= Quanto formaggio vuole?)
- ● **Ne** prendo tre etti. (= Prendo tre etti di formaggio.)

- ● Hai fratelli?
- ◆ Sì, **ne** ho due. (= Ho due fratelli.)

7 Verbi

7.1 Presente

In italiano il presente può riferirsi anche ad azioni future: Domani **vado** dal dottore., La prossima settimana **partiamo** per le vacanze. La negazione è introdotta da *non*: **Non** mangio carne.

7.1.1 Verbi regolari

I verbi regolari si dividono in tre coniugazioni (prima, seconda e terza). La terza coniugazione presenta due varianti.

	parlare	**vedere**	**dormire**	**capire**[5]
io	parl**o**	ved**o**	dorm**o**	cap**isco**
tu	parl**i**	ved**i**	dorm**i**	cap**isci**
lui/lei/Lei	parl**a**	ved**e**	dorm**e**	cap**isce**
noi	parl**iamo**	ved**iamo**	dorm**iamo**	cap**iamo**
voi	parl**ate**	ved**ete**	dorm**ite**	cap**ite**
loro	parl**ano**	ved**ono**	dorm**ono**	cap**iscono**

Nella prima e nella seconda persona plurale e nell'infinito l'accento va sulla penultima sillaba: parliamo, parlate, parlare.
Negli altri casi l'accento segue la prima persona singolare: parlo, parli, parla, parlano.

[5]Funzionano come *capire*: finire, preferire, spedire, pulire.

Particolarità: i verbi in -care/-gare e -iare

	cercare	**pagare**	**mangiare**
io	cerc**o**	pag**o**	mang**io**
tu	cer**chi**	pa**ghi**	mang**i**
lui/lei/Lei	cerc**a**	pag**a**	mang**ia**
noi	cer**chiamo**	pa**ghiamo**	mang**iamo**
voi	cerc**ate**	pag**ate**	mang**iate**
loro	cerc**ano**	pag**ano**	mang**iano**

Verbi riflessivi

	chiamarsi
io	**mi** chiamo
tu	**ti** chiami
lui/lei/Lei	**si** chiama
noi	**ci** chiamiamo
voi	**vi** chiamate
loro	**si** chiamano

7.1.2 Verbi irregolari

andare	**avere**	**bere**	**dare**	**dire**	**dovere**	**essere**
vado	ho	bevo	do	dico	devo	sono
vai	hai	bevi	dai	dici	devi	sei
va	ha	beve	dà	dice	deve	è
andiamo	abbiamo	beviamo	diamo	diciamo	dobbiamo	siamo
andate	avete	bevete	date	dite	dovete	siete
vanno	hanno	bevono	danno	dicono	devono	sono

fare	**sapere**	**stare**	**potere**	**uscire**	**venire**	**volere**
faccio	so	sto	posso	esco	vengo	voglio
fai	sai	stai	puoi	esci	vieni	vuoi
fa	sa	sta	può	esce	viene	vuole
facciamo	sappiamo	stiamo	possiamo	usciamo	veniamo	vogliamo
fate	sapete	state	potete	uscite	venite	volete
fanno	sanno	stanno	possono	escono	vengono	vogliono

7.1.3 *Piacere*

Il verbo *piacere* si coniuga alla terza persona singolare quando è seguito da un sostantivo singolare o da un infinito; si coniuga alla terza plurale quando è seguito da un sostantivo plurale. Per esprimere diverse sfumature di apprezzamento si usa *piacere* in associazione con avverbi.

Questa camera non **mi piace**.

♦ **Ti piace** questa città?
● Sì, mi piace **molto**!

Non **ci piace per niente** ballare.

♦ **Le piace** Roma?
● Sì, **moltissimo/tantissimo**.

Mi piacciono le feste tradizionali.

mi = a me
ti = a te
ci = a noi
Le = a Lei

7.1.3 Passato prossimo

Il passato prossimo si forma con il presente di *avere* o *essere* (verbi ausiliari) + il participio passato del verbo.

7.2.1 Ausiliari

avere	participio passato
ho	parlato
hai	parlato
ha	parlato
abbiamo	parlato
avete	parlato
hanno	parlato

Se l'ausiliare è *avere*, il participio passato non cambia:
Ho mangiat**o** una pizza., Abbiamo mangiat**o** a casa.

essere	participio passato
sono	andat**o/a**
sei	andat**o/a**
è	andat**o/a**
siamo	andat**i/e**
siete	andat**i/e**
sono	andat**i/e**

Se l'ausiliare è *essere*, il participio passato concorda in genere e numero con il soggetto: Daniela è andat**a** al mare., Paolo e Marco sono andat**i** a casa.

I principali verbi che hanno *essere* come ausiliare sono: *andare, entrare, partire, tornare, uscire, venire*.
La negazione *non* va prima dell'ausiliare: **Non** siamo uscite ieri sera.

7.2.2 Participi passati

participi regolari
verbi in *-are* → ato (amare → am**ato**)
verbi in *-ere* → uto (sapere → sap**uto**)
verbi in *-ire* → ito (capire → cap**ito**)

principali participi irregolari	
aprire	ho aperto
bere	ho bevuto
chiudere	ho chiuso
dire	ho detto
essere	sono stato/a
fare	ho fatto
leggere	ho letto
mettere	ho messo
prendere	ho preso
scrivere	ho scritto
vedere	ho visto
venire	sono venuto

7.4 Imperativo

L'imperativo consente di dare ordini e istruzioni: **Vieni** qui!, **Vada** fino a quell'incrocio., Mi **dica**!

	imperativo formale (→*Lei*)	imperativo informale (→*tu*)
scus**are**	scus**i**	scus**a**
leg**gere**	leg**ga**	leg**gi**
dorm**ire** finire	dorm**a** fin**isca**	dorm**i** fin**isci**

forme irregolari		
	imperativo formale (→*Lei*)	imperativo informale (→*tu*)
andare	vada	vai
avere	abbia	abbi
bere	beva	bevi
dare	dia	dai
dire	dica	di'
essere	sia	sii
fare	faccia	fai/fa'
venire	venga	vieni

Forma negativa

imperativo formale	imperativo informale
non + verbo coniugato: **Non** parta oggi!	*non* + infinito del verbo: **Non partire** oggi!

8 Preposizioni

8.1 Preposizioni semplici

a	da	di	con
Abito **a** Roma. Stiamo **a** casa.	Vengo **da** Berlino. Lavoro **da** oggi a sabato.	È la macchina **di** Anna. Siamo **di** Buenos Aires.	Vai a teatro **con** Paolo? Vengo **con** la macchina.

fra/tra	in	per	su
Arriviamo **tra** due giorni. La stazione è **tra** la banca e la posta.	Vieni **in** treno? Vivo **in** Italia.	Ho comprato un regalo **per** mia nonna. Siamo qui **per** visitare la città.	Ho trovato un articolo interessante **su** Internet.

8.2 Preposizioni articolate

	il	lo	l'	la	i	gli	le
di	del	dello	dell'	della	dei	degli	delle
a	al	allo	all'	alla	ai	agli	alle
da	dal	dallo	dall'	dalla	dai	dagli	dalle
in	nel	nello	nell'	nella	nei	negli	nelle
su	sul	sullo	sull'	sulla	sui	sugli	sulle

8.2 Preposizioni con *andare*

	a	**a + articolo**	***da* (+ nomi di persona)**	***da* + articolo (con le persone)**	***in***
vado	**a** Roma **a** casa **a** scuola	**al** ristorante **al** mercato **all'**aeroporto **alla** posta **alla** stazione	**da** Caterina = a casa di Caterina	**dal** medico/**dal** dottore **dal** meccanico	**in** Italia **in** banca **in** farmacia **in** pizzeria **in** stazione **in** ufficio

9 Numeri

9.1 Numeri cardinali

0 zero
1 uno
2 due
3 tre
4 quattro
5 cinque
6 sei
7 sette
8 otto
9 nove
10 dieci
11 undici
12 dodici
13 tredici
14 quattordici

15 quindici
16 sedici
17 diciassette
18 diciotto
19 diciannove
20 venti
21 ventuno
22 ventidue
23 ventitré
24 ventiquattro
25 venticinque
26 ventisei
27 ventisette
28 ventotto
29 ventinove

30 trenta
40 quaranta
50 cinquanta
60 sessanta
70 settanta
80 ottanta
90 novanta
100 cento
1000 mille
2000 duemila
10.000 diecimila
100.000 centomila
1.000.000 un milione

9.2 Numeri ordinali da 1° a 10°

1° primo **2°** secondo **3°** terzo **4°** quarto **5°** quinto **6°** sesto **7°** settimo **8°** ottavo **9°** nono **10°** decimo